口腔インプラント治療指針 2024

Japanese Society
of Oral Implantology

公益社団法人 日本口腔インプラント学会 編

Treatment Guidelines for Oral Implants

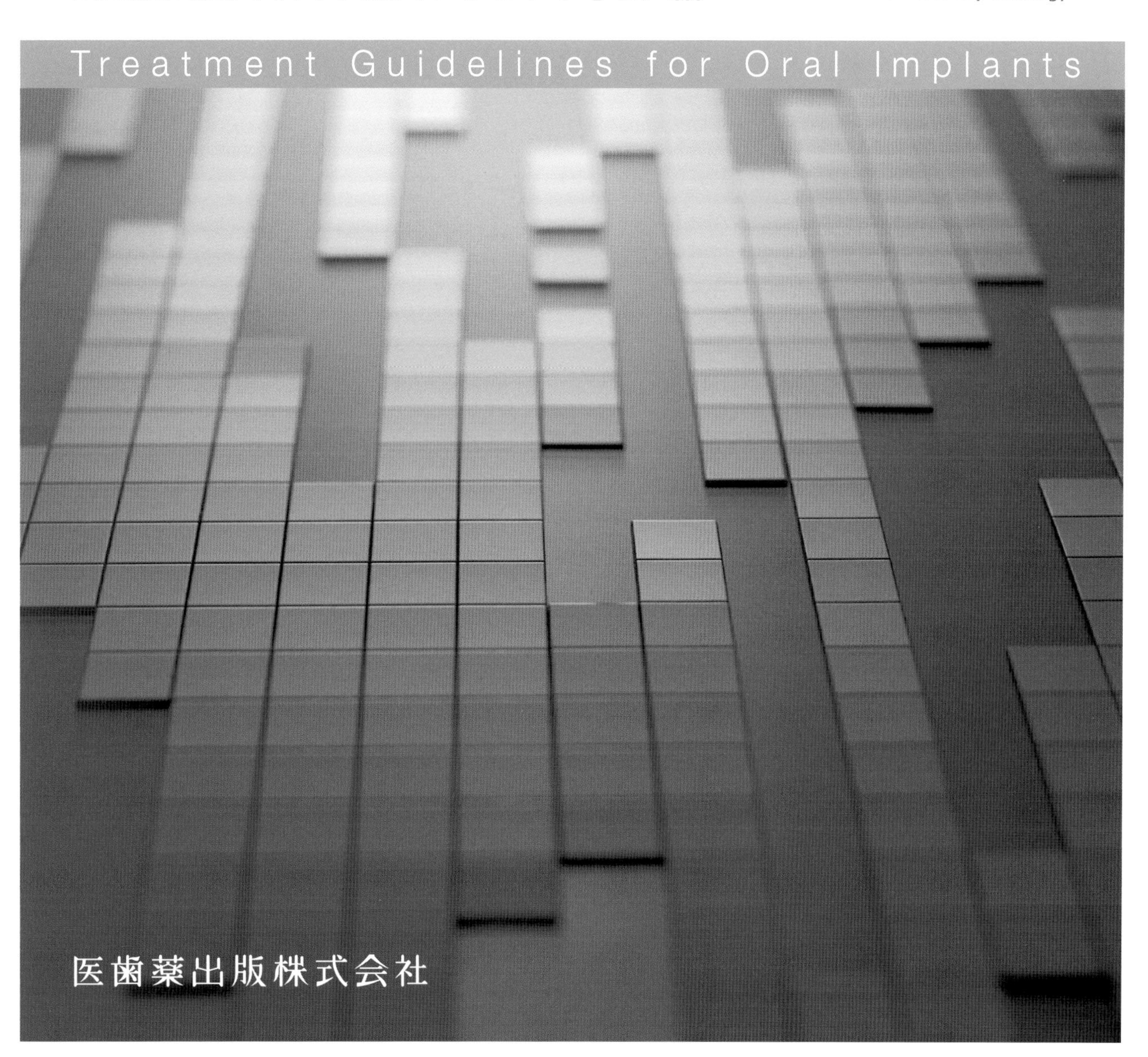

医歯薬出版株式会社

『口腔インプラント治療指針 2024』発刊にあたって

公益社団法人　日本口腔インプラント学会
理事長　細川隆司

本学会は日本歯科医学会の専門分科会の中で口腔インプラントに関する研究を推進し臨床技術の向上に寄与する最大規模の学会として活動し発展してきました．本学会の医学系学術団体としての主要な事業としては，学術大会の開催，学術雑誌（英文誌・和文誌）の編集・発行，そして会員の専門性認定制度の運用に加えて，本書のような治療指針（診療ガイドライン）の作成があげられます．

いわゆる診療ガイドラインには，コンセンサスベースで作成されるものと，エビデンスベースで作成されるものがあります．本書は，前者，すなわちコンセンサスベースで作成された診療ガイドラインとして 12 年前の 2012（平成 24）年に初版が発行されて以来，ほぼ４年ごとに改訂され，内容が刷新されてきました．コンセンサスベースのガイドライン作成においては，各項目の執筆者の記載内容に関して専門家のグループ（エキスパートパネル）により議論が行われ，修正が加えられ，日常診療でのベストプラクティスは何か？というところに主眼を置いてつくられています．当然ながら，当学会としては，エビデンスベースのガイドラインの重要性も十分認識しており，現在タスクフォースによって作成が進められているところですが，口腔インプラント治療のすべてをエビデンスベースのガイドラインでカバーすることは現実的でないことに加え，コンセンサスベースのガイドラインの有用性も認識し，今回も口腔インプラント治療指針の改訂を行うことと致しました．

本書は，前述のようにコンセンサスベースで作られたガイドラインであり，専門家の多数意見が必ずしもエビデンスと一致していない可能性は否定できません．しかし，今回の改訂においては，現時点におけるエビデンスを可能な限り収集，分析し，できるだけエビデンスに基づいた指針，記載内容となるよう，慎重な編集作業が進められました．

今回の改訂にあたって，困難な仕事を的確に進めて頂いた教育・研修担当理事の澤瀨　隆先生，教育・研修委員会の先生方，そして学術担当常務理事の近藤尚知先生に心から御礼申し上げます．

本書が，臨床医にとって日常臨床の道しるべとなり，患者様の口腔機能回復，QoL の維持・向上と国民の健康寿命の延伸にいくらかでも寄与できれば望外の喜びとするところです．

令和６年４月

『口腔インプラント治療指針 2024』編集の序

口腔インプラント治療は，欠損補綴の一手法として広く認知され，患者満足度の高さから，多くの歯科医師が日々の診療に取り入れています．公益社団法人日本口腔インプラント学会では，安全・安心な口腔インプラント治療実践の拠り所として，2012 年に『口腔インプラント治療指針』を発刊し，4 年ごとにその改訂を行ってまいりました．そして本年 2024 年に 4 巻目となる『口腔インプラント治療指針 2024』を発刊いたします．

2023 年，我が国は全都道府県で人口減少フェーズに入り，高齢化率が 29％を超え，介護，医療費とさまざまな社会問題が取り沙汰されています．インプラント治療を希望する患者の急速な高齢化も報告され，今後の高齢者のメインテナンスは大きな課題となっています．また一方で，近年のデジタルデンティストリーの大きな波は，診断から上部構造製作までを通してインプラント治療に大きな影響を与え，インプラント治療はもはやデジタル抜きには語れないといっても過言ではありません．

本改訂では，2020 年版で刷新された，診察・検査・診断から，治療方法，メインテナンスに至るまでの，インプラント治療の実情を鑑みた一貫した構成に準じ，さらに重複箇所の整理とともに，情報のアップデートを行いました．特に高齢者に多く合併する基礎疾患の理解に関しては，最新の知見を収載することに努め，また口腔インプラント治療へのデジタル技術の応用に関しては，別立ての章として内容の充実を図りました．

本治療指針が，会員の皆様の日々のインプラント治療の道しるべとなることを心から願い改訂いたしましたが，同時に本学会専門医にとりましては，習得しておかなければいけない知識が網羅されています．折しも 2021 年歯科専門医機構が認定する専門医のみが広告可能とするとの告示を受け，本学会も長年の悲願であった広告可能な専門医への気運が高まっています．本書がステークホルダーである国民に信頼されるインプラント歯科専門医にとっても拠り所となれば幸いです．

本書の執筆に快く協力いただいた先生方，時宜を得たコラムをご寄稿頂いた医療・社会保険委員会の先生方，そして 10 回を超える編集会議，委員会で，きめの細かい校正を繰り返して頂いた教育・研修委員会委員各位のご尽力と熱意には，心から感謝の意を表します．

令和 6 年 4 月

公益社団法人　日本口腔インプラント学会
教育・研修委員会
委員長　澤瀬　　隆

『口腔インプラント治療指針 2020』発刊にあたって

公益社団法人　日本口腔インプラント学会
理事長　宮﨑　隆

現在，インプラントを利用した歯科治療はわが国のみならず世界中で普及し，人類の健康に貢献しています．

日本口腔インプラント学会は，わが国における口腔インプラント治療に対して責任を有する学会として，口腔インプラント学に関わる研究の推進，学術講演会の開催，学会誌ならびに書籍等の出版，口腔インプラント治療に係る専門職の認定制度ほかの事業を行ってきました．

本学会は川添堯彬理事長時代の 2011 年 10 月に公益社団法人格を取得しましたが，当時すでに医療安全に配慮して国民に安心な医療を提供するための治療指針の作成作業に取り掛かかっていました．その作業途中の同年 12 月に国民生活センターから「歯科インプラント治療に係る問題－身体的トラブルを中心に－」が報道発表されました．そして，消費者（国民）が歯科医師及び歯科医療機関において一定水準以上の治療を受けられるよう，歯科インプラント治療についての基準や治療のプロセス全体を網羅するようなガイドラインの作成を関係学会に対して働きかけるように，日本歯科医師会，歯科関連学会，行政に要望がなされました．

これに応えるべく，川添執行部では教育委員会の渡邉文彦委員長を中心に作業を急ぎ，2012 年に『口腔インプラント治療指針』を発刊しました．そして学会員全員に配布するとともに，学会ホームページで公開して広く歯科医療関係者が利用できるようにしました．

その後，渡邉文彦理事長時代には，医療・社会保険委員会の塩田　真委員長のもとで 2015 年に医療安全に焦点を当てた『口腔インプラント治療とリスクマネジメント』を刊行しました．さらに教育・研修委員会の矢島安朝委員長のもとで『口腔インプラント治療指針』の改訂作業を行い，2016 年に『口腔インプラント治療指針 2016』を発刊しました．

この指針を活用して，学会が一丸となって医療安全と安心な医療の提供に努めてまいりましたが，残念なことに，2019 年 3 月には，再度国民生活センターから「あなたの歯科インプラントは大丈夫ですか－なくならない歯科インプラントにかかわる相談－」が報道発表されました．その中ではインプラント治療の有効性も評価されていますが，治療指針に沿っていない治療が行われていることから，治療指針のさらなる周知が要望されました．今回の要望先は，日本歯科医師会，日本歯科医学会，日本歯科医学会連合，日本歯科専門医機構，日本口腔インプラント学会，および日本顎顔面インプラント学会でした．本学会はこれらを代表して，「日本口腔インプラント学会では「治療指針」「リスクマネジメント」等を整備し，学術大会，講演会，研修会，セミナー等のあらゆる機会を通じて会員への医療モラルの周知を徹底し，さらに非会員に対してもホームページでの公開により学習可能な体制を一層充実させる」と回答いたしました．

このような状況下で，今回の改訂作業は『口腔インプラント治療とリスクマネジメント』の内容を『口腔インプラント治療指針』に一本化して，現在の口腔インプラント治療の標準的な目安として再編成し，会員ならびに歯科関係者が一層利用しやすい内容の治療指針をめざしました．

近藤尚知委員長以下の教育・研修委員会の先生方，ならびに西郷慶悦委員長以下の医療・社会保険委員会の先生方には両書の内容のすり合わせに多大なご尽力をいただきました．編集作業に携わった多くの先生方，学会事務局，そして医歯薬出版編集部に深甚なる感謝の意を表します．

本書が学会員ならびに歯科医療関係者に広く活用されて国民の健康に貢献できることを願ってやみません．

令和 2 年 6 月 10 日

『口腔インプラント治療指針 2020』編集の序

口腔インプラント治療は，現在の欠損補綴に必要不可欠な治療法となり，多く歯科医師が日々の診療に取り入れています．医療の発展が日進月歩であることはもとより，インプラント治療も，歯科医師の技術向上と新規材料の導入によって，大きく進歩してきました．日本口腔インプラント学会では，安全に口腔インプラント治療を行うためには治療指針が必要であることを再認識し，2012 年に『口腔インプラント治療指針』を発刊し，4 年ごとにその改訂を行ってきました．そして，2015 年には『口腔インプラント治療とリスクマネジメント』を発刊し，国民に対して安全・安心なインプラント治療を提供できるよう，努めて参りました．

今回の『口腔インプラント治療指針』と『口腔インプラント治療とリスクマネジメント』の改訂においては，教育・研修委員会と医療・社会保険委員会で合同作業部会を編成し，この 2 冊の重複部分を統合して合冊にし，歯科医師にとってより使いやすい治療指針とすることを検討しました．加えて，超高齢社会における歯科治療，そして歯科治療への IT の導入等，現代歯科医療のニーズに合わせた内容の充実を図りました．

本改訂では，構成を目次から見直し，診察・検査・診断から，治療方法，メインテナンスに至るまで，現在のインプラント治療の実情を鑑みて，多くの項を書き直しました．「診察・検査と診断」の章においては，研究推進委員会の協力も得て，全身状態から局所へと項目を整理し，機能系の検査方法についても紹介しています．また，新しい治療法が開発されるたびに，未承認・適応外といった制限が出てくることから，現在の倫理規定等と照らし合わせて，その注意事項を書き加えています．さらには，用語集，実習書との整合性も確認して，できる限り用語の統一も図り，会員にとっての良書となることを目標に改訂を進めました．

改訂期間中に，新型コロナウイルスの感染拡大による緊急事態宣言が発せられ，すべての委員会が延期，対面会議自粛という，想像もしなかった非常事態となりました．そのような状況下，本改訂作業部会は編集会議をオンライン・ミーティングの形態に移行して，編集作業を継続してきました．そして，委員の任期内に『口腔インプラント治療指針 2020』を発刊できたことは感慨深いものとなりました．これもひとえに，両委員会の先生方による，言葉では言い尽くせない熱意と尽力のおかげであったことと，心より感謝の意を表します．

令和 2 年 6 月 10 日

公益社団法人　日本口腔インプラント学会
教育・研修委員会
委員長　近藤　尚知
医療・社会保険委員会
委員長　西郷　慶悦

『口腔インプラント治療指針 2016』発刊にあたって

公益社団法人　日本口腔インプラント学会
理事長　渡邉文彦

口腔を健康に保つことは全身の健康維持に重要である．口腔インプラント治療は歯を失った際に質の高い口腔機能を回復する有力な手段となる．しかし一方で，インプラント体埋入などの外科治療や骨・軟組織のマネジメントなどを伴うことから，全身状態の把握と適切な診断および治療技術が必須となる．また埋入されたインプラント体の支台に上部構造を装着し，機能的，審美的な回復を図り，さらに長期間これを維持するためのメインテナンスに対する包括的治療技術が求められる．インプラント治療後の経過が 10 年，20 年，さらにそれ以上長期になると，インプラント自体に問題がなくても，患者さんの全身状態が損なわれることもあり，要介護状態になるなど口腔ケアの問題も生じる．このように口腔インプラント治療は，通常の歯科治療以上に全身状態の評価が重要であり，そのための生体解剖，材料，免疫，組織，病理などの基礎知識，さらに口腔外科，補綴，歯周，放射線，麻酔等のさまざまな歯科臨床の知識や治療技術が求められる．

厚生労働省は平成 17（2005）年 6 月に今後の医療安全対策についての報告書をまとめ，平成 19 年には医療安全を確保するための措置等を示している．これを踏まえ，日本口腔インプラント学会は平成 24 年に『口腔インプラント治療指針』を発刊，口腔インプラント学会会員全員へ配布するとともに，会員以外のインプラント治療に携わる医療従事者，また患者さんや国民の方々に必要な知識を提供するため，学会のホームページに同じ内容を掲載し，現在までに多くのアクセスがある．

初版発行から 4 年が経過し，この間新しい情報や研究論文，エックス線画像による診断を元にインプラント埋入手術を行うなど，新しい技術が導入されてきた．そのため矢島安朝教育・研修委員長，松浦正朗作業部会長のもとで改訂，編集作業を行い，この度 2016 年版を上梓することとなった．委員会の方々，執筆に携わった方々に，厚く御礼を申し上げる．

治療指針は英語ではガイドラインと訳されるが，我々の意図するところは臨床の現場で実際に活用できる治療に対しての指針である．日常の臨床現場ではさまざまな患者さんの状況が予測される．規則のようにがんじがらめに縛るものであっては有効に活用できず，またガイドライン自体が独り歩きすることにもなりかねない．このような点を重視し，臨床の現場で使え，患者さんや国民の方々にも理解され，受け入れられる治療指針を目指した．

口腔インプラント治療を行う医療従事者の方々には，是非，手元において日常のインプラント治療に役立てて頂き，国民の皆様には口腔インプラントはどのような治療法であるかを理解するためにも本学会の市民向けホームページの掲載内容と合わせて閲覧して頂きたい．

平成 28 年 3 月 25 日

『口腔インプラント治療指針 2016』編集の序

『口腔インプラント治療指針 2012』は平成 24 年 6 月 10 日に刊行され，以来，その名のとおり公益社団法人日本口腔インプラント学会の治療指針として専門医ケースプレゼンテーション試験，および専門医，指導医試験の規範として用いられてきた．しかし，その後の口腔インプラント学の臨床研究や関連する基礎研究の進展は著しく，さらには CT 機器や CAD/CAM 技術の普及により，インプラント治療は大きく変貌している．そのため，『口腔インプラント治療指針』もその内容の一部が現状と合わない部分が出現し，さらには新たに取り入れなければならない項目も現れ，今期の日本口腔インプラント学会教育・研修委員会では最初の委員会において『口腔インプラント治療指針』の改訂が提案され，『口腔インプラント治療指針 2016』の刊行に至った．

今回の改訂では画像診断についてはより広く記述し，解剖の項目を追加し，さらに付録として追記した．全身の診察における全身疾患では糖尿病や高血圧など診断基準が一部変更となり，その内容が更新された．BRONJ については概念の変更が提案されているが，まだ日本におけるポジションペーパーが更新されていないので，概念の変更を記述するに留めた．またインプラント補綴法の項についても項目を増やし，内容を詳細にし，重複した記述は統一した．結果として本改訂により本書は約 100 頁となり，第 1 版の約 70 頁からその内容は大きく増大した．

今回の改訂は現教育・研修委員会作業部会の委員が分担し，さらに作業部会では分担できない項目に関してはご専門の先生方にお願いしました．また改訂作業部会開催の折には渡邉文彦本学会理事長，および矢島安朝教育・研修委員会委員長には毎回参加していただき，多くのアドバイスを得ました．一方，第 1 版で執筆を担当していただいた先生には無断で修正を加えさせていただいた部分もあります．改訂作業は委員会の 2 年間の任期中に完了するという制限があったためご容赦いただきたいと思います．

今回の改訂により『口腔インプラント治療指針 2012』の不足した部分を補い，古くなった内容を更新し，現状の治療指針としてさらに適正な書としたつもりではありますが，会員の皆様には御一読の上，よろしくご高評を賜りたいと思っております．会員の皆様には本書をお手元に置き，日常のインプラント臨床に役立てていただければ幸いです．

現在の口腔インプラント学の進歩は急速であり，また数年後には本書もその時の現状に合わなくなる部分も発生するものと思われます．教育・研修委員会での審議では 4 年後には再度，本書の改訂が必要となると考えております．

本書の改訂作業，および新たに追加された項目を担当していただいた先生方に深甚なる感謝の意を表します．

平成 28 年 3 月 25 日

公益社団法人　日本口腔インプラント学会
教育・研修委員会
委員長　矢島　安朝
改訂作業部会
部会長　松浦　正朗
副部会長　松下　恭之
小倉　　晋
金田　　隆
城戸　寛史

文責：松浦　正朗

『口腔インプラント治療指針』発刊にあたって

公益社団法人　日本口腔インプラント学会
理事長　川添堯彬

平成16（2004）年に内閣府から出された，“日本21世紀ビジョン”において，国民生活の最大の願いとして，「安全・安心」が取り上げられた．これは国民生活全般を視野に入れた運動であり，食品の安全，水の安全，大気の安全，交通の安全，医療の安全を網羅するものであった．なかでも「医療の安全」は，厚生労働省が国民に対して良質の医療を提供する体制を確保する必要から，厚生労働大臣の緊急のアピールとなった．そして平成17年6月に「報告書：今後の医療安全対策について」がまとめられた．その後，平成18年6月に医療法等の一部改正が行われ，翌年平成19年4月に改正医療法が施行されて，以下の体制等の政策が進展することになった．1〕医療の安全を確保するための措置，2〕院内感染防止について，3〕医薬品の安全管理体制，4〕医療機器の保守点検，安全使用に関する体制の4つである．

医療におけるこれらの動きは，一般医科領域において高度先進医療技術の臨床導入・普及に伴い，あるいはインフォームド・コンセントやPOSなど患者の人格を重視する治療方針の進展にも連動して急速に広がった．特に医療供給者に求められる“医療安全”と，患者側の立場を配慮しての治療に関連した“安心感の提供”が医療供給者や従事者に対して厳しく求められるようになってきた．歯科治療においても，特に“口腔インプラント治療”は，外科的侵襲を伴う手術のリスクや咬合問題での永続性が求められる上でのリスク，また治療費が高額に及ぶ場合など，安全や安心を損なう場合が多くなる．その上医療倫理の問題が絡む場合も少なくない．平成19年には日本歯科医師会は「歯科診療所における医療安全を確保するために」の冊子を作成し，配布した．また，厚生労働省においては日本歯科医学会や日本歯科医師会を通じて，関連学会・協会へ各専門領域の治療に関する「治療指針」や「ガイドライン（GL）」を作成することが要望されていた．

本学会は，すでに平成19年から医療安全重視の立場から「倫理規程」，「倫理審査・懲戒規則」を始め種々の規程・法規整備や，専門医および関連資格制度確立，「口腔インプラント教育基準」作成，口腔インプラント治療に関する教育講座，臨床技術向上講習会，BLS講習会などの制度・活動を，学会年度事業計画に加え実現・実施してきた．さらに口腔インプラント治療の医療安全・安心，専門医と信頼性，ガイドライン（GL）をキーワードとするメインテーマを，平成19年（第37回）の学術大会から平成24年（第42回）まで連続6カ年間取り上げて学会内外にアピールしてきた．

このような経緯の中で，平成23年10月に公益社団法人化の認可が下りた時に厚生労働省においては，引き続き口腔インプラントに関する治療指針またはガイドラインの完成を要望していることを知ったので，早速，本学会の教育委員会（渡邉文彦委員長）で進めてもらっていた作成作業を可及的に平成24年6月の任期中に完成させるようお願いした．渡邉文彦委員長以下執筆者全員の精力的かつ献身的なご努力とご苦労に深甚なる感謝の意を捧げます．

この『口腔インプラント治療指針』は，口腔インプラント治療を行う歯科医師を始めとするすべての歯科医療従事者に理解していただき，患者さんへの診察，検査，評価，診断，治療計画，説明やインフォームド・コンセントなどに活用していただけるもの，そして医療安全と患者さん目線での安心感の提供に役立つものと確信します．

平成24年6月10日

編集の序

口腔インプラント治療は，固定性補綴の実現，残存歯への少ない侵襲，また質の高い審美的・機能的回復が可能なことから，欠損修復の有力な治療法として日常臨床で多くの歯科医師に用いられている．しかし，長期間の良好な予後が報告される一方で，治療の失敗や医療トラブルがマスコミでも報じられている．先般，国民生活センターから日本歯科医学会，日本口腔インプラント学会，日本補綴歯科学会，日本口腔外科学会，日本歯周病学会へ口腔インプラント治療に関する要望書が出され，またNHKでも大きく口腔インプラント治療が取り上げられた．国民も，またマスコミも口腔インプラント治療が素晴らしい治療であることは認識しているものの，医療従事者側の治療技術や知識の不足，医療モラルの不足，患者へのインフォームドコンセントの不足が指摘され，その対応と改善が求められている．

過去10年を振り返ると，治療技術の確立と患者のニーズの高まりから，口腔インプラント治療に取り組む歯科医師が急増してきた．現在，公益社団法人日本口腔インプラント学会の会員数も12,500人となっている．口腔インプラント治療は述べるまでもなく，歯科医師であれば誰もが行うことができる治療であるが，全身的な診断能力や口腔外科治療に関する知識や技術，補綴，歯周，歯科放射線の知識や治療技術はもちろんのこと，解剖，生体材料，組織，病理に関しての広範囲の知識が求められる．残念ながらこれらを十分に修得せず，治療が行われていることも日常臨床では見られる．

日本口腔インプラント学会では，5年前より専門医制度の確立を目指し，専門医取得のための条件として認定の研修施設，大学系と臨床系の施設で5年間の研修を必須とし，知識，技術の向上を図っている．また，専門医取得後も日進月歩する口腔インプラント治療や関連する治療について，本学会教育委員会が中心となり学会の掲げた「安全・安心の口腔インプラント治療」を目指すべく専門医臨床技術向上講習会を開催している．

本学会の使命は，国民に口腔インプラント治療を通じて幸福を提供するため，学会会員，また広く歯科医師への指導，教育，情報提供を行い，国民への適切かつ信頼できる安全・安心の口腔インプラント治療を行うよう手助けをすることである．その一環として本学会の教育委員会では，歯科医師が口腔インプラント治療を行う場合の1つの基本的な指標を明らかとする目的から，本書『口腔インプラント治療指針』を上梓した．ここに掲げたのは，本学会が今日一般的となっていると認めた方法・技術であるが，それ以外の方法を否定するものではないことはご理解いただきたい．また，日々新しいエビデンスや臨床成績，基礎研究結果が明らかとなり，新材料が開発されてくると，本書の内容を変更しなければならなくなることをご理解いただきたい．本書は教育委員会のメンバーで分担しまとめたものであるが，医療安全の項は伊東隆利常務理事に担当いただいた．

最後に，本書が学会会員の皆様に頻用していただけることを切に希望致します．

平成24年6月10日

公益社団法人　日本口腔インプラント学会
教育委員会
委員長　渡邉　文彦
副委員長　松浦　正朗
委員　春日井昇平
矢島　安朝
江藤　隆徳
加藤　仁夫
永原　國央
松下　恭之
廣瀬由紀人
前田　芳信
廣安　一彦

公益社団法人　日本口腔インプラント学会
「口腔インプラント治療指針 2024」改訂編集委員会
教育・研修委員会

委員長	澤瀬　　隆		
副委員長	阿部　伸一		
委員（五十音順）	熱田　　生	竹島　明道	三宅　　実
	近藤　祐介	中野　　環	宮本　郁也
	佐藤　大輔	原　　俊浩	
	高藤　恭子	水口　　一	
幹事	尾立　哲郎		

「口腔インプラント治療指針 2024」コラム作成
医療・社会保険委員会

委員長	阪本　貴司		
副委員長	西村　正宏		
委員	懸田　明弘	津賀　一弘	佐藤　裕二
	加藤　英治	丸川恵理子	
	岸本　博人	吉村　篤利	

執筆者一覧（五十音順）

會田　英紀	窪木　拓男	馬場　俊輔	山森　徹雄
秋山謙太郎	近藤　尚知	原　　俊浩	横山　敦郎
熱田　　生	近藤　祐介	廣瀬由紀人	吉村　篤利
阿部　伸一	西郷　慶悦	廣安　一彦	若松　陽子
鮎川　保則	佐藤　　聡	福泉　隆喜	渡邉　文彦
伊東　隆利	佐藤　大輔	前田　芳信	
江藤　隆徳	佐藤　裕二	正木　千尋	
大島　正充	佐藤　洋平	松浦　正朗	
荻野洋一郎	澤瀬　　隆	松尾　雅斗	
小倉　　晋	塩田　　真	松下　恭之	
小倉　隆一	角　　美佐	松永　　智	
尾立　哲郎	高藤　恭子	水口　　一	
春日井昇平	田島　伸也	三宅　　実	
加藤　仁夫	立川　敬子	宮本　郁也	
金田　　隆	玉置　幸道	矢島　安朝	
上林　　毅	中野　　環	山口　秀紀	
城戸　寛史	永原　國央	山田　陽一	
草野　　薫	野本　秀材	山本　将仁	

C O N T E N T S

コラム

1章　口腔インプラント治療とは

インプラント治療とは，齲蝕，歯周病，外傷，腫瘍，先天性欠如などによって失われた歯，顎骨または顎顔面の欠損に対して，本来あった歯やその他の組織の代わりとして，人工歯根（インプラント体）を顎骨や顔面の骨に埋入し，これを支台として義歯やエピテーゼを固定して，顎顔面口腔領域の構造的，機能的ならびに審美的回復を図る治療法である．

現在のインプラント治療は，1960年代スウェーデンのBrånemarkら[1]によって，骨内に埋め込まれたインプラント体が光学顕微鏡レベルで直接骨支持，接触することが明らかにされ，これをオッセオインテグレーション（osseointegration，**図1**）と称し，この支持形態がインプラント治療に有効であるという研究成果に基づいている．

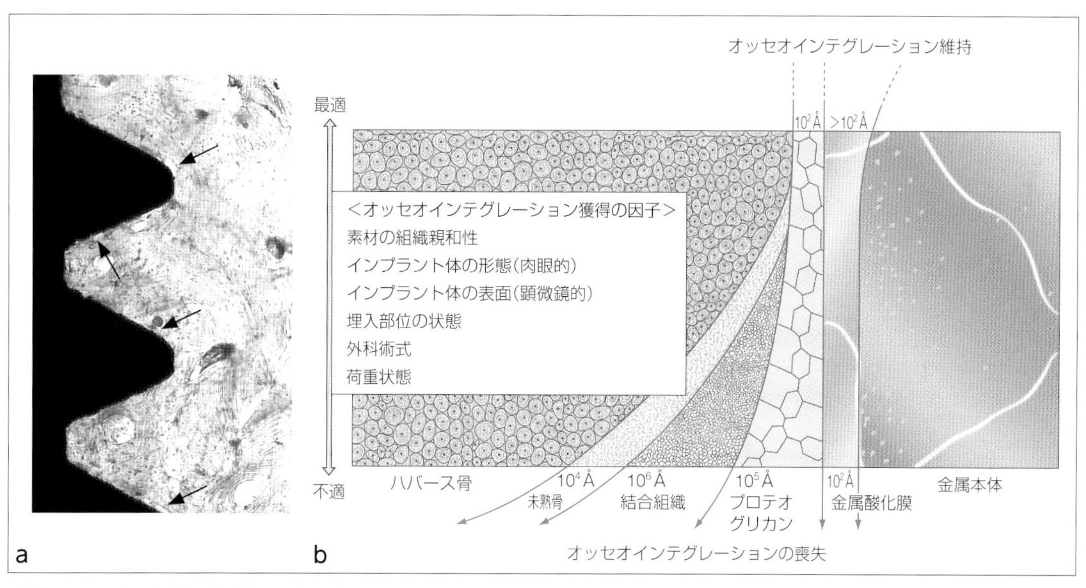

図1　オッセオインテグレーション

a：オッセオインテグレーション成立後のインプラント体 - 骨組織界面．光学顕微鏡では，インプラント体に対して骨組織が軟組織を介在せずに接触しているが，一部に軟組織（矢印）もみられ，ここが代謝の最前線となる．（松坂，2023[2]より引用）

b：電子顕微鏡では，チタン表面に10^2Å（オングストローム）前後のプロテオグリカンの層を介して石灰化した骨組織が接触しているといわれているが，オッセオインテグレーションの獲得に失敗すると軟組織の介在を招く（模式図）．（Brånemark, Zarb, Albrektsson, 1985[1]より改変）

1．インプラント治療に関連する分野

インプラント治療の第一義は欠損補綴であるものの，顎骨内に異物を留置し，さらに口腔内に貫通して機能しなければならないことから，インプラント治療は集学的な治療と言われる．すなわち適切なインプラント治療を行うためには，基礎医学として解剖，組織，病理，微生物および生体材料学の知識が不可欠で，臨床歯科医学としては口腔外科，補綴，放射線，歯科麻酔，歯周病，歯内療法および矯正の知識と医療技術が必要である（**図2**）．さらに安全を確保し患者に信頼される治療を行うためには，上記の基礎および臨床歯科医学のみならず，隣接医学を含む包括的かつ多領域に及ぶ専門的な基礎的臨床的知識と高い倫理性が求められる．治療の実際においては，術者および自院の技量と医療環境を鑑み，必要に応じて専門性の高い医療機関や高次医療機関と連携して治療を進めることが重要である．また昨今の超高齢社会におい

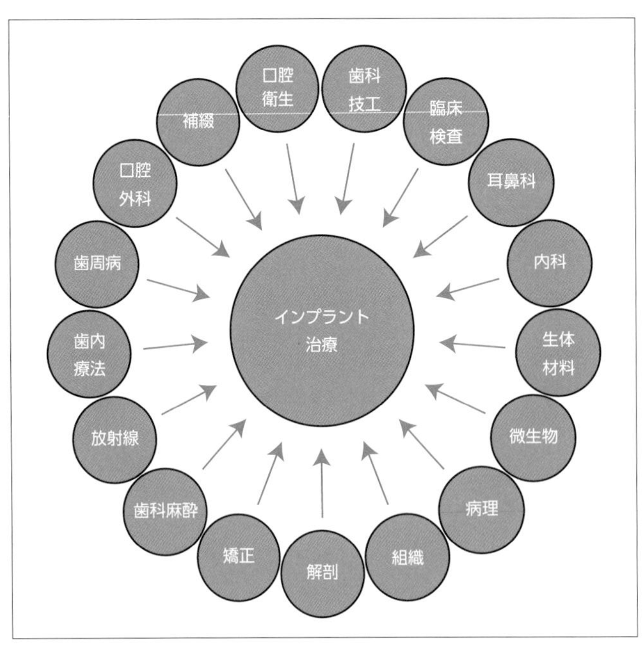

図２　インプラント治療を取り巻く専門分野

ては，基礎疾患を有している患者や多剤服薬している患者が多く，内科や関連医科への対診が必須となる．

2 章　口腔インプラント治療にかかわる基礎歯科医学

1．インプラントに用いられる生体材料

1）インプラント材料の種類と生体適合性（親和性）

インプラント材料は**表 1**，**図 3** に示すように生体許容性，生体不活性，生体活性の 3 タイプに分類され，金属，有機高分子，セラミックスが利用可能である．

生体許容性材料は，当初より耐食性が問題となっていた．埋入後，材料は線維性結合組織で被包化されるためオッセオインテグレーションが得られない．

生体不活性材料としてチタンが頻用されているのは単に生体適合性に秀でているだけではなく，他の有機，無機材料に比べて靭性が大きいことが要因である．靭性とは壊れにくさの指標であり，生体内では生体適合性以外にも長期耐久性を担保するための重要な指標である．また，近年ではセラミックスの優れた生体親和性を活かしてインプラントへの利用が進められている．ジルコニア（ZrO_2）はアルミナよりも靭性が大きいため積極的な活用が試みられ，当初はアバットメントに利用されていた．日本では薬事未承認のために使用は難しいが，ヨーロッパを中心に埋入用のジルコニアインプラントが製品化され，臨床応用も進んでいる[4)]．ジルコニアはチタンに比べて破壊靭性値では劣るが，審美的要因や生体為害作用で優位であり，口腔内修復物のメタルフリー化の旗手として注目を集めている．

生体活性材料はリン酸カルシウムが主体のため優れた骨伝導性を示すが，長期耐久性については強度不足が明白であり，人工骨あるいはチタン製インプラントの表面コーティング用など補助的な役割を担っている．従来，ハイドロキシアパタイト（HA）は人工骨としての使用実績があったが，生体骨に置換されず骨のリモデリングに関与できないことが欠点とされていた．β-リン酸三カルシウム（β-TCP）は部分的に生体骨に置換しうる素材であり，生体吸収性とも称されるが，完全に置換されるわけではない．炭酸アパタイト[5)] は生体骨組織と同等の生体吸収性であるが無機特有の高温焼成による合成が難しく実用化を妨げていたが，近年，新たな手法による合成法が見出され，新規人工骨として注目を集めている．

表 1　インプラント材料の分類

生体許容性材料	金属 ステンレス鋼 コバルトクロム合金 有機高分子 PMMA
生体不活性材料 （生体安定材料）	金属 チタン，チタン合金 セラミックス アルミナ ジルコニア
生体活性材料	セラミックス ハイドロキシアパタイト（HA） β-リン酸三カルシウム（β-TCP） 炭酸アパタイト（CO_3AP） バイオガラス

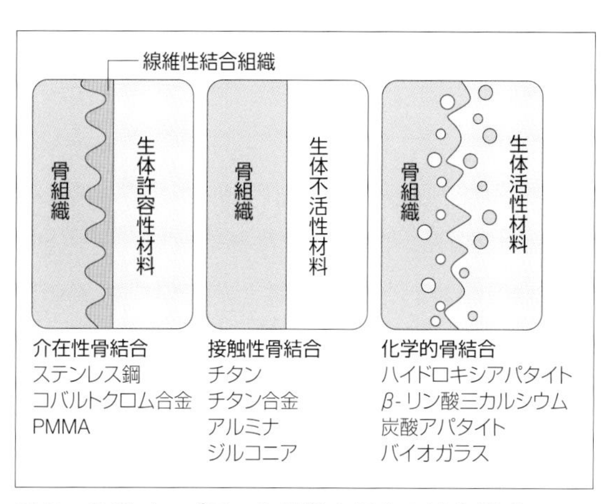

図 3　各種インプラント材料と骨との結合様式（柴田，片岡，2023[3)] より改変）

2) インプラント体の表面処理法

埋入したインプラント体が生着するためには2～3か月の期間を要すとされていたが，近年では埋入後にただちに暫間上部構造を装着して患者の審美的，機能的回復を早める手法も一般化している．そのためにはインプラント体と骨との早期のオッセオインテグレーションが必須であり，インプラント体表面へのさまざまな処理が検討されている．代表的な表面処理法を**表2**に示す．インプラント体埋入時には体液や血液の成分，タンパク質などとインプラント体とのぬれが重要となるため化学的表面修飾法も試みられている．

表2　チタンインプラントの表面処理法

機械加工	旋盤加工
コーティング（チタン） （ハイドロキシアパタイト）	プラズマ溶射 プラズマ溶射，スパッタリング法，プラズマ溶射後にスパッタリングなど
サンドブラスト	アルミナ粉末，チタン粉末，アパタイト粉末，β-TCP粉末
エッチング	酸エッチング（フッ酸，フッ酸＋硫酸，塩酸など）
サンドブラスト＋エッチング	サンドブラスト後に酸エッチング
陽極酸化	電気化学的表面処理
ワイヤ放電加工	放電加工

骨組織ばかりではなく，インプラント周囲炎（peri-implantitis）の観点から，軟組織にも注目が集まっている．チタンは生体適合性がよく，特にリンやカルシウムに対する高い吸着能を有するが，その反面で口腔常在菌が付着しやすく，インプラント周囲炎を引き起こしやすい．対策としてはタンパク付着防止を目的とした表面処理法や抗菌性付与などが考案されている．

2. インプラント治療における解剖学的リスク

1) 下顎骨とその周囲組織の解剖

(1) 下顎骨の基本構造とその変化

下顎骨は咀嚼筋が付着する下顎枝と，その前方で馬蹄形を呈する下顎体に大別される．下顎骨は歯を喪失すると，外部形態，内部構造に変化が生じる．多数歯喪失および無歯顎になると歯槽部が次第に消失する場合が多く，最も吸収がみられる下顎骨の頬側臼歯部ではオトガイ孔付近まで，舌側臼歯部では顎舌骨筋が付着する顎舌骨筋線付近まで吸収される．基底部における舌側下部には，顎下腺窩を含んだ全周にアンダーカットが存在する．

(2) 下顎骨内部および周囲における神経の分布

卵円孔から出た下顎神経は舌神経と下歯槽神経に分枝し，内側翼突筋と下顎枝の間の翼突下顎隙を並走して下行する．舌神経は下歯槽神経の前方に位置する．下歯槽神経は下顎孔から下顎骨の内部へ進入するが，舌神経は鼓索神経と合流後，口腔底粘膜下の舌下隙へ進入し，顎下腺管（ワルトン管）の下方をくぐり，舌内部へ進入する（**図4**）．またこの経過中に舌神経はレトロモラーパッドに近接して走行する場合があり，神経損傷に対する注意が必要となる．

下歯槽神経は下顎管を経過中（**図5**），大臼歯部までは下顎骨舌側壁近くを走行する場合が多い．そして，第一小臼歯と第二小臼歯の間で向きを後上方・外方に変え，第二小臼歯直下付近に存在するオトガイ孔より出る．すなわちやや前方に走行した後，反転してオトガイ孔へ向かっており，この反転する神経の部位をアンテリアループと称する．そして，オトガイ孔を出た神経をオトガイ神経と呼び，ただちに3～4本の終末枝に分かれ，扇状をなして上方に放

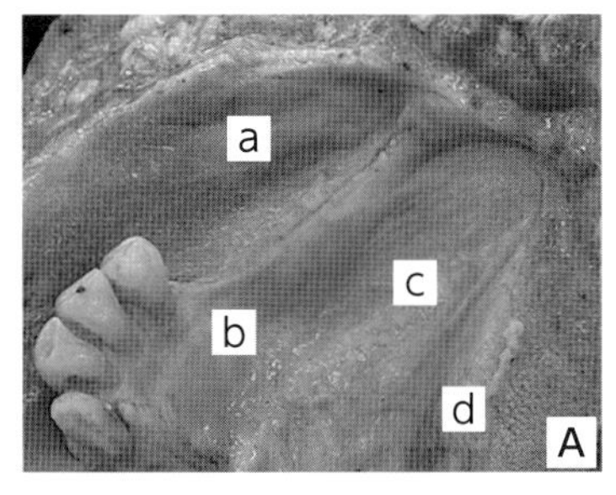

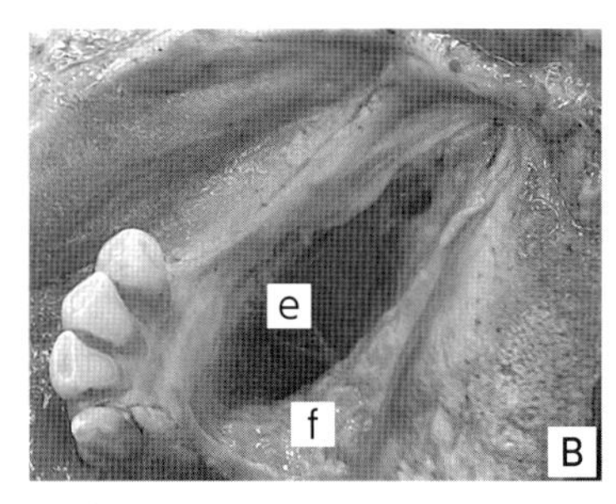

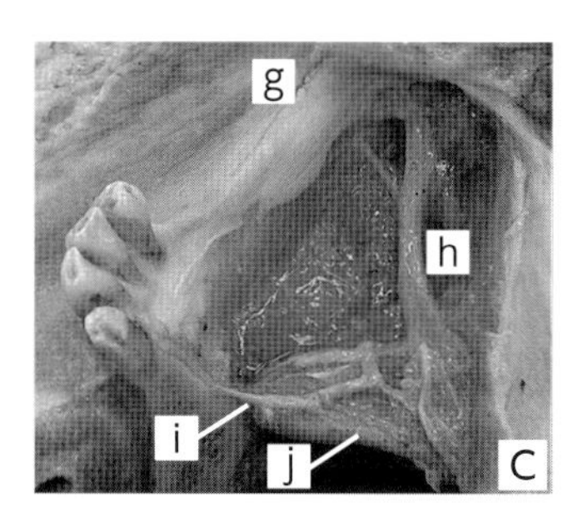

図4　舌下部粘膜下の局所解剖（献体標本）
舌下部粘膜（A）を切開すると粘膜下に存在する舌下腺が観察される（B）．舌下腺を除去すると，舌内部を走行する舌動脈から分枝した舌下動脈，舌神経などが観察される（C）．
a：頰粘膜，b：下顎骨，c：舌下部粘膜，d：舌，e：顎舌骨筋，f：舌下腺，g：レトロモラーパッド，h：舌神経，i：舌下動脈，j：オトガイ舌筋

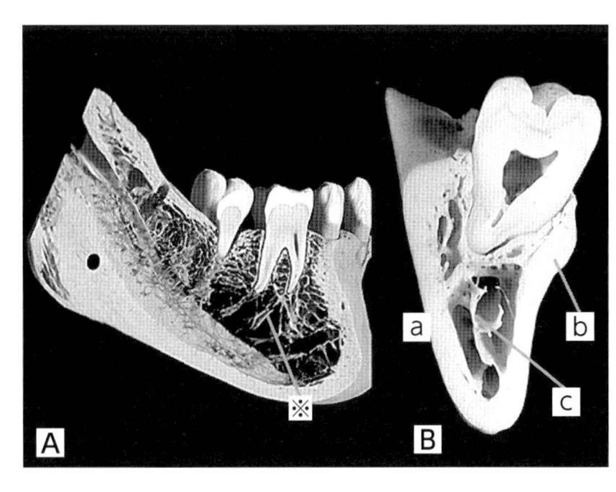

図5　下顎骨の内部構造（三次元再構築像）
A：歯列に沿って切断，B：前額断
下顎体内部では，下顎管から歯に向かって管状構造物（※）を観察することがある．有歯顎において下顎管内部を走行する下歯槽神経，下歯槽動・静脈は，歯へ向かい多くの枝を出す．
a：頰側皮質骨，b：顎舌骨筋付着部（顎舌骨筋線），c：下顎管

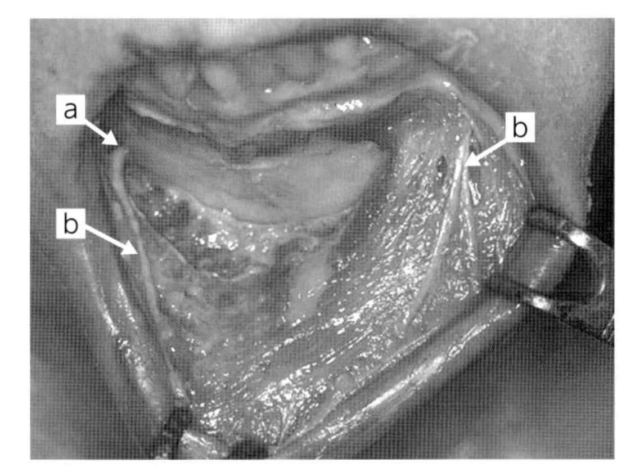

図6　下唇からオトガイ部に広く分布するオトガイ神経（献体標本）
a：オトガイ孔，b：オトガイ神経

散し，下唇とオトガイ部の皮膚に分布する（**図6**）．また下顎骨内部において，オトガイ孔より前方へ向かう神経を切歯枝と称する．左右の切歯枝はしばしば吻合する．

(3) 下顎骨周囲における動脈の分布

舌動脈は外頸動脈の前壁から分枝した後，舌内部へ進入する．その途中で舌の外部，すなわち舌下部粘膜の下方に位置する舌下隙へ舌下動脈を分枝する（**図7**）．舌下動脈は舌下腺の下方を通り，多くは下顎前歯部舌側領域の歯槽骨に達し分布するが，下顎舌側孔を通り下顎骨内部へ進入する場合もある．

顔面動脈は咬筋停止部前縁の下方付近でオトガイ下動脈を分枝し，顎舌骨筋下方の顎下隙を前走し，オトガイ下隙に分布する（**図8**）．顎舌骨筋前縁では，舌下隙と顎下隙が交通するが，この間隙を通り舌下動脈とオトガイ下動脈は吻合する．また，舌下動脈は欠如する場合もあり，その場合オトガイ下動脈の分枝が顎舌骨筋を貫き，舌下動脈の代わりに下顎前歯部舌側領域に分布する．すなわち，左右オトガイ孔間舌側領域には骨に沿って動脈が走行している場合を想

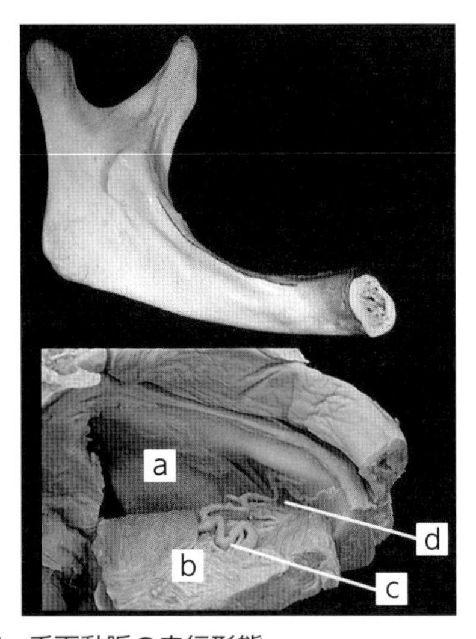

図７　舌下動脈の走行形態
無歯顎で下顎骨が高度に吸収すると，歯槽部の大部分が消失することがある．基底部のアンダーカット部には，舌動脈から分枝した舌下動脈が下顎骨に沿うように走行している可能性を想定する必要がある．
a：顎舌骨筋，b：翻転した舌，c：舌深動脈（舌動脈），d：基底部のアンダーカットに沿うように走行する舌下動脈

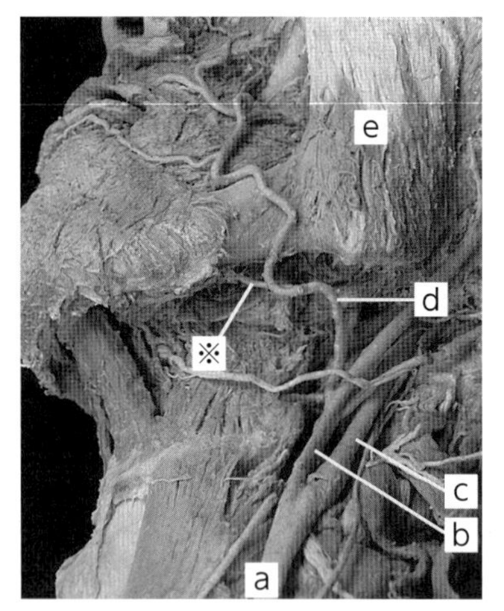

図８　外頸動脈から分枝する顔面動脈
顔面動脈は外頸動脈の前壁から分枝し，咬筋前縁付近の下顎体下方でオトガイ下動脈（※）を分枝する．
a：総頸動脈，b：外頸動脈，c：内頸動脈，
d：顔面動脈，e：咬筋

定する必要がある．

(4) 下顎のインプラント体埋入手術での解剖学的リスク

①歯槽部が吸収した下顎大臼歯部のインプラント体埋入手術では歯槽頂から下顎管までの距離が近くなるので，下歯槽神経，下歯槽動・静脈損傷のリスクがある．また顎舌骨筋が近くなると粘膜骨膜弁の形成時に舌神経損傷，ドリルの舌下隙･顎下隙への穿孔のリスクがある．

②下顎小臼歯部のインプラント体埋入手術では，粘膜骨膜弁の形成時にオトガイ神経損傷のリスクがある．またドリルの舌側皮質骨穿孔によって，舌下動脈あるいはオトガイ下動脈を損傷するリスクがある．

③舌側傾斜した下顎前歯部での埋入窩形成，特にインプラント体を唇側傾斜させて埋入窩を形成するとドリルが舌側皮質骨を穿孔し，舌下動脈あるいはオトガイ下動脈を損傷するリスクがある．

④オトガイ部からの移植骨採取は切歯枝を損傷し,前歯の知覚障害を後遺するリスクがある．

2) 上顎骨とその周囲組織の解剖

(1) 上顎骨の基本構造とその変化

上顎骨（**図９**）は内部に上顎洞を有する骨体部と，ここより突出する①前頭突起，②頬骨突起，③口蓋突起，④歯槽突起の四つの突起から構成される（**図９A，C**）．歯が植立する歯槽突起は，歯の喪失により急速に吸収する（**図９B**）．その際，骨後方の上顎結節部（a）では，蝶形骨翼状突起（b）と接する部分が若干高く残るのみで，他の部分は高さが低くなる場合もある（矢印）．また，歯槽突起の吸収は全体的に唇側・頬側から起こるため，無歯顎になると歯槽頂が舌側に移動し，歯槽頂の彎曲は有歯顎に比べて小さくなる．

(2) 上顎骨内部および周囲の神経，動脈

上顎骨に分布する動脈（**図９**）は主に顎動脈の枝で，歯と顎骨を経て顔面皮膚に分布する．その間，翼口蓋窩で分枝する後上歯槽動脈（c）は，数個の歯槽孔を通り上顎骨内に入り，上顎大臼歯に枝を出すと同時に上顎洞外壁と内面に沿って前方に走行する．翼口蓋窩で眼窩下動脈（d）となり，下眼窩裂より眼窩下神経と伴行して眼窩内に進入し，眼窩下溝を通過時には

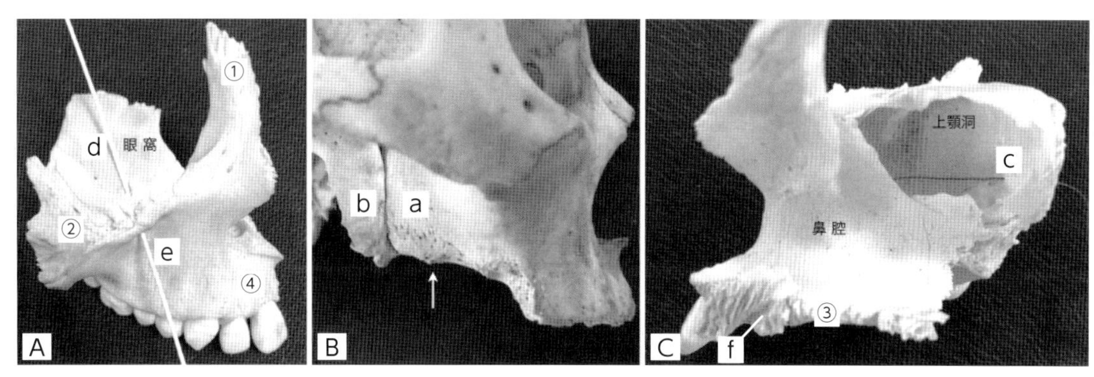

図9　上顎骨の構造（A：有歯顎外面，B：無歯顎外面，C：内面）
A：眼窩下動脈・神経は下眼窩裂から入り上顎骨中で歯に分布した後，眼窩下孔から頬部皮膚へと分布する．B：無歯顎で歯槽骨が吸収した像を示す．C：内面では後上歯槽動脈・神経が歯槽孔より上顎洞内壁に侵入している．また切歯管により鼻腔と交通する．
①前頭突起，②頬骨突起，③口蓋突起，④歯槽突起
a：上顎結節，b：蝶形骨翼状突起，c：後上歯槽動脈・神経，d：眼窩下動脈・神経，e：眼窩下孔，f：切歯管

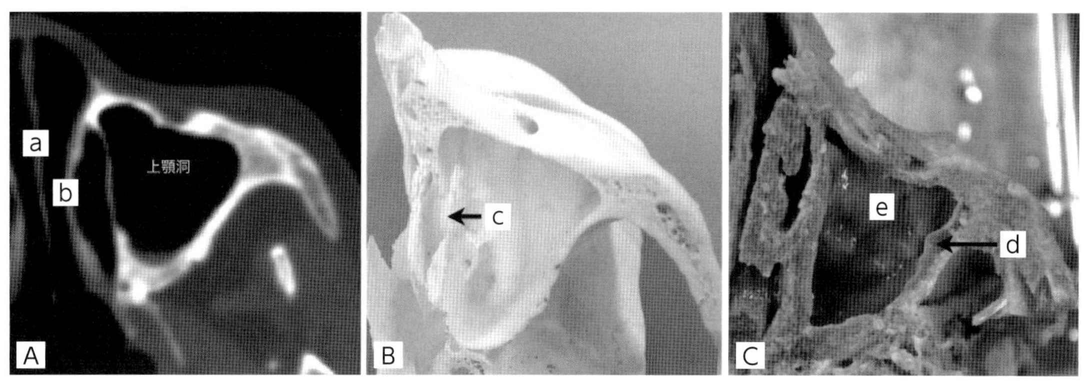

図10　上顎洞水平断面（A：CT像，B：骨標本，C：上顎洞炎症例）（B，Cは松尾，2017[6]より改変）
上顎洞は上顎洞裂孔（半月裂孔）により中鼻道と交通している（c）．内壁の粘膜（d）は多列線毛上皮に覆われる．
a：鼻中隔，b：下鼻甲介，c：上顎洞裂孔（半月裂孔），d：粘膜，e：上顎洞炎症例の膿瘍部

中上歯槽動脈が分枝し，主に小臼歯に分布する．また，眼窩下管の通過時には前上歯槽動脈が主に前歯に分布する．これら，上歯槽動脈と神経は上顎骨内部で吻合し，複雑なネットワークを形成する．その後，眼窩下孔（e）を通過し，頬部や上唇皮膚に分布する．

また，翼口蓋窩で分岐した血管・神経が，硬口蓋では大口蓋動脈・神経，軟口蓋では小口蓋動脈・神経として分布する．切歯乳頭部で切歯管（f）を通る蝶口蓋動脈の分枝である鼻口蓋神経と同名の動脈は大口蓋動脈・神経と吻合する．静脈系では上顎結節後方に翼突筋静脈叢が存在する．

(3) 上顎洞

上顎洞（**図10**）は，副鼻腔の一つで上顎骨体とほぼ一致した形態を呈する空洞である．上顎洞の内側壁は，上顎洞裂孔（c）が開口する．上顎洞裂孔は，篩骨，下鼻甲介，口蓋骨に覆われ，半月裂孔を形成し，鼻腔内の中鼻道と交通する．上顎洞を覆う粘膜（d）は鼻腔と同様に多列線毛上皮で，粘液を分泌し線毛運動によって中鼻道から上咽頭へ粘液を排出する．すなわち，鼻腔と同様に呼吸器としての機能を有している．また，上顎洞は，隔壁と呼ばれる隆起状を呈する構造物で内部を仕切られている場合がある．

(4) 上顎のインプラント体埋入手術での解剖学的リスク

①上顎第二大臼歯部でのインプラント体の遠心傾斜埋入は，上顎結節を穿孔するリスクがある．

②上顎洞底挙上術での外側壁の骨窓形成は，後上歯槽動脈・歯槽枝や眼窩下動脈・神経損傷

のリスクがある.

③上顎臼歯部でのインプラント体埋入手術では，上顎洞穿孔により粘膜を損傷し，上顎洞炎を起こすリスクがある.

④上顎臼歯部でのインプラント体埋入手術では，稀薄な骨厚や脆弱な骨質を有する場合，インプラント体の上顎洞迷入のリスクがある.

⑤上顎臼歯部でのインプラント体埋入手術では，骨量不足や骨質不良を有する場合，オッセオインテグレーションの未獲得，あるいは喪失のリスクがある.

3章　倫理規範

1. 医療倫理

1) 医療倫理の変遷

医の倫理は，医療そのものが人の生命と健康に直結しているだけに医師の職業上の責務として謳われてきた．世界医師会が1948年に採択した「ジュネーブ宣言」は，「ヒポクラテスの誓い」が進化したものである．その後，20世紀後半になると，従来の伝統的な医の倫理が見直されるようになる．これは，医療の進歩や社会環境の変化に伴ったものであり，医療倫理の4原則，あるいは生命倫理の4原則として普及している[7]．具体的には，①患者の自己決定を尊重しなければならない（自立尊重原則），②患者に意図的に害を与えてはならない（無危害原則），③患者の利益を積極的に促進しなければならない（善行原則），④医療の社会的側面に配慮し法令を遵守しなければならない（正義原則），の4原則である．

2) 医療行為の要件

医療行為は医療従事者によって行われるものであり，倫理的にも法令的にも正当な医療行為とみなされるためには，次の3つの要件[8]が満たされていなければならない．

①患者の同意が得られていること

②治療を目的としていること

③承認された治療方法で行われていること

①の要件は，医療倫理の4原則の「患者の自己決定を尊重しなければならない（自立尊重原則）」に基づくものであり，後述のインフォームド・コンセントを意味している．②と③は，「患者に意図的に害を与えてはならない（無危害原則）」と，「患者の利益を積極的に促進しなければならない（善行原則）」に基づくものある．

3) インフォームド・コンセント

インフォームド・コンセントとは，患者が医療従事者から病気の内容と治療方法などについて十分な情報を得て，理解したうえで自由意志に基づいて同意することである．その際に，医療従事者が患者に説明すべき項目や範囲は，治療の性質によって異なってくる．治療が緊急を要する場合には，説明すべき事項は少なくなるが，インプラント治療や審美歯科治療のように，緊急性が低く，効果の程度に個人差が出やすいようなものでは，治療の効果や想定される副作用，ほかの治療方法の有無，使用する薬剤や機器などの安全性・有効性について，より時間をかけて詳細に十分な説明がなされるべきであり，医療従事者側に高いコミュニケーション能力が要求される．さらに，インプラント治療や審美歯科治療は多くの場合，自由診療で行われるため，治療に要する費用や解約条件などの契約内容についても丁寧に説明するとともに，患者がそれらの内容を十分に理解し，納得したうえでの同意であることを示す同意文書を患者から得ておくことが重要である[9]．

4) 患者の権利

20世紀半ば以降の人権意識の高まりを背景に，今日の医療倫理は，伝統的な医の倫理であった医師の義務に関するものではなく，患者の権利の尊重がすべての医療従事者に求められる医療倫理へと変遷してきた．患者の権利に関する国際的な規範は，世界医師会で採択された「患者の権利に関するリスボン宣言」（1981年）[10]である．2005年の改正で謳われた患者の基本的権利とは，①良質の医療を受ける権利，②選択の自由の権利，③自己決定の権利，④情報に対する権利，⑤守秘義務に対する権利，⑥健康教育を受ける権利，⑦尊厳に対する権利，⑧宗教的支援に対する権利，である．

2. 研究倫理

1）ヘルシンキ宣言

現在の人を対象とする医学系研究の倫理原則は，第二次世界大戦中にナチス・ドイツで非人道的な人体実験を行った医師らを裁くために開かれた裁判で示された「許されうる医学実験」のための10の原則（「ニュルンベルグ綱領」，1947年）である．その基本精神は世界医師会が1964年に採択した「ヘルシンキ宣言」[11]（正式名称：「人を対象とする医学研究の倫理的原則」）に受け継がれた．この宣言はその後，改正が重ねられ，世界中の医学研究に関する法制度や指針に影響を与えている．このヘルシンキ宣言で謳われている倫理原則とは，①一般原則（被験者の自己決定権の尊重をはじめとする被験者保護のための原則），②研究によってもたらされるリスク・負担・利益の事前評価，③社会的弱者への配慮，④科学的要件の遵守と研究計画書の作成，⑤研究倫理委員会による審査，⑥被験者のプライバシーと秘密保持，⑦インフォームド・コンセントの取得，⑧研究におけるプラセボの使用，⑨研究終了後の取決め，⑩研究の登録と成果の公表および普及，⑪有効性が証明されていない治療法の実施，である．

2）人を対象とする生命科学・医学系研究に関する倫理指針（生命・医学系指針）

2001年に「ヒトゲノム・遺伝子解析研究に関する倫理指針」，2002年に「疫学研究に関する倫理指針」，2003年に「臨床研究に関する倫理指針」，「遺伝子治療等臨床研究に関する指針」が施行され，その後，これらの疫学研究と臨床研究の指針は2015年に統合されて「人を対象とする医学系研究に関する倫理指針」（医学系研究指針）が施行された[12,13]．2017年には「個人情報保護法」の改正に伴って一部改正され，さらに「人を対象とする医学系研究に関する倫理指針」および「ヒトゲノム・遺伝子解析研究に関する倫理指針」が見直され，2021年には両指針を統合した「人を対象とする生命科学・医学系研究に関する倫理指針」（生命・医学系指針）が施行された[14,15]．その後の個人情報保護法の改正に伴って，2022年と2023年には生命・医学系指針も一部改正され，インフォームド・コンセントなどの手続きの見直しなどがなされた．この生命・医学系指針の対象は，臨床研究（**図11**）に相当する研究であり，申請先は各医療機関または学会の倫理審査委員会となる．

3）個人情報保護法

「個人情報の保護に関する法律（個人情報保護法）」は，高度情報化社会の進展やプライバシー問題の認識，また個人情報保護法制定の世界的潮流を背景として2005年に施行された[16]．その後，2017年には「改正個人情報保護法」が施行され，社会経済情勢の変化に対応するために3年ごと見直し規定が盛り込まれた．改正法では個人識別符号および要配慮個人情報の新設によって，個人情報の定義が明確化されるとともに，情報の保護がより強化されている．診療や研究の際に問題となるのは，医療で扱われる個人情報は基本的に要配慮個人情報であり，一定のDNAデータが個人識別符号として個人情報とされたことにより，研究に関する国の指針[17]では，従来から用いられてきた「連結可能匿名化」，「連結不可能匿名化」という用語が廃止されている．また，研究のために診療情報などを他機関に提供する場合は，提供の確認と記録の作成および保存（提供元で3年間，提供先で5年間の保存）が研究に関する国の指針で義務づけられている．症例報告についても，特定の個人を識別できないように匿名化して報告する場合には患者の同意は不要であるが，そのような匿名化が困難な場合は患者本人またはその親権者から同意を得る必要がある．また，報告が研究の一環として行われる場合には，各医療機関や学会が定める倫理審査に従うものとされている．2020年には3年ごと見直し規定に基づき，「令和2年改正個人情報保護法」が公布された．自身の個人情報に対する意識の高まり，技術革新を踏まえた保護と利活用のバランス，越境データの流通増大に伴う新たなリスクへの対応などの観点から，①個人の権利の在り方，②事業者の守るべき責務の在り方，③事業者による自主的な取組を促す仕組みの在り方，④データ利活用の在り方，⑤ペナルティの在り方，⑥法の域外適用・越境移転の在り方などについて改正された．2021年にはデジタル社会形成整備法に基づき，「令和3年改正個人情報保護法」が公布され，①官民を通じた個人情報の保護と活用の強化，②医療分野・学術分野における規制の統一，③学術研究に係る適用除外規定などが改正された．

4）臨床研究法

臨床研究における不正事案が発生したことから，2018年に「臨床研究法」[18]が施行された．医薬品医療機器等法（薬機法）における未承認・適応外の医薬品・医療機器などの臨床研究，および製薬企業などから資金提供を受けて実施される医薬品などの臨床研究は「特定臨床研究」となり，介入研究に分類される（**図11**）．これを実施する者は研究計画書を作成して，認定臨床研究審査委員会（厚生労働大臣の認定を受けた審査委員会）の審査を受けたうえで，厚生労働大臣に届け出ることが義務づけられている．日本口腔インプラント学会における医学倫理審査委員会は認定臨床研究審査委員会ではないため特定臨床研究の審査は不可能であり，必要に応じてほかの審査委員会を紹介する対応をとっている．研究の適正性や監査の実施，また製薬企業などとの利益相反管理は医学系研究指針においてすでに求められているが，これらは本法の施行によって法律上義務づけられることとなった．この臨床研究法の手続きに違反した場合の罰則も明確化されている．

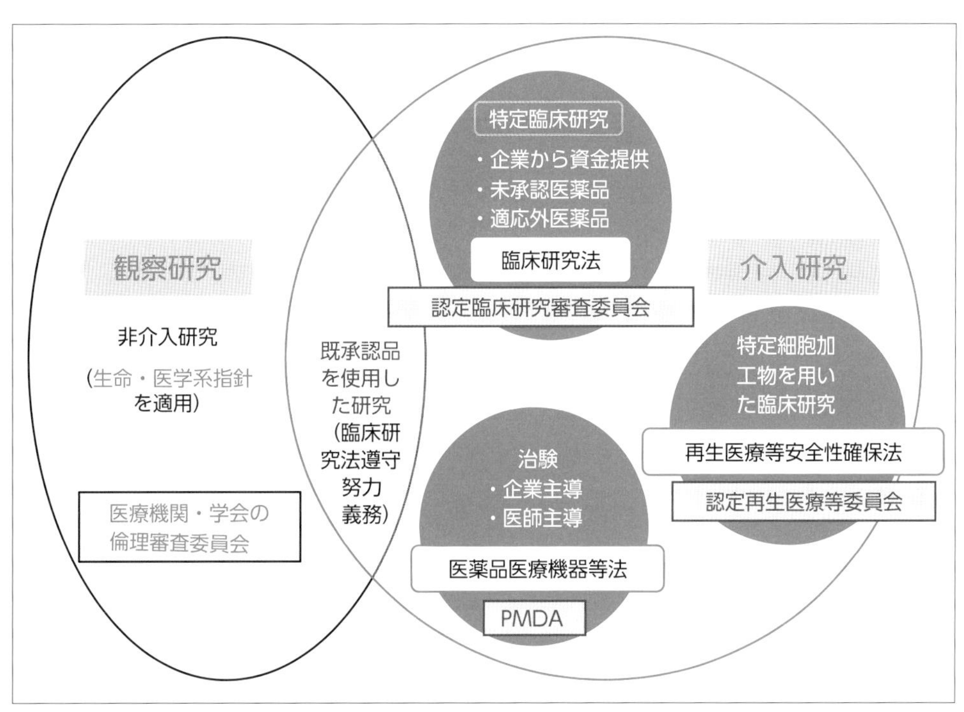

図11　臨床研究

5）未承認・適応外使用の医薬品・医療機器

「未承認」とは，厚生労働省から承認されている医薬品・医療機器ではないことを意味しており，「適応外使用」とは，たとえば整形外科領域では承認されていたとしても，歯科領域での適応が認められていない医薬品・医療機器であることを意味している．また，歯周病の適応が取得されている医薬品・医療機器を，インプラント治療を目的に使用する場合も適応外使用となる．未承認・適応外使用の医薬品・医療機器を使用する臨床に関しては，歯科医師の裁量で使用が許されているものの，患者の同意を必要とするだけでなく，安全性について不具合が生じた際は，加療した歯科医師が責務を負うことになる．

インプラント治療において未承認・適応外使用が注意喚起される関連事項としては，光学印象機器，インプラント治療シミュレーションソフト，人工骨，メンブレンなどがあげられる．これらの医薬品・医療機器を使用するには，製造販売するうえで国への必要な手続きを経た製品として市販されているものであるか，そのうえでインプラント治療に使用する適応があるかどうかを添付文書などで確認することが重要である．

光学印象機器はデジタル印象採得装置，インプラント治療シミュレーションソフトはインプラント用治療計画支援プログラム，CAD/CAM 機器や 3D 機器はチェアサイド型歯科用コンピュータ支援設計･製造ユニット，または歯科技工室設置型コンピュータ支援設計･製造ユニットという一般的名称として医薬品医療機器総合機構（PMDA）に一部登録[19]されているので，情報検索も可能である．

人工骨やメンブレンについては，インプラント治療の適応を取得している市販品が非常に少ないので，使用にあたってはインプラント治療の適応が取得されていることの確認が重要となる．人工骨やメンブレンについてもクラスⅣ製品を中心に PMDA で登録[19]されているので添付文書などの確認に利用できる．

さらに，未承認・適応外使用の医薬品・医療機器を用いた臨床研究では，前述の臨床研究法との関係に留意しなければならない．ほかの医薬品･医療機器と効果･効能などを比較する「介入研究」であれば臨床研究法を遵守することとなり，日本口腔インプラント学会の医学倫理審査委員会での審査は不可能であるが，患者に対する最適な治療法として使用された医薬品・医療機器を対象とした「観察研究」では日本口腔インプラント学会の医学倫理審査委員会における予備審査[20]に申請する方法もある．

6）再生医療等安全性確保法

「再生医療等の安全性の確保等に関する法律」（再生医療等安全性確保法）[21]は，薬機法と同時に公布・施行され，医療機関内で医療として再生医療を実施しようとする場合は，この法律の遵守が求められるようになった．本法では，再生医療が人の生命および健康に与える影響の程度に応じて三つに分類されている．歯科医療で用いられている多血小板血漿（PRP）などはこのうち第３種に分類されており，これらの再生医療を実施しようとする者は，これらの分類に応じた認定再生医療等委員会（厚生労働大臣の認定を受けた委員会）の審査を受けることが義務づけられている．

7）その他の関連法規

（1）医療広告ガイドライン（2023 年改正）[22] （詳細は p.94 参照）

2018 年の医療広告ガイドライン改正以降，ホームページ広告が規制されている．これによって，規制の対象媒体はチラシ，ポスター，看板，新聞，雑誌，E メール，インターネット上の広告，不特定多数の説明会・相談会において使用するスライド・ビデオまたは口頭で行われる

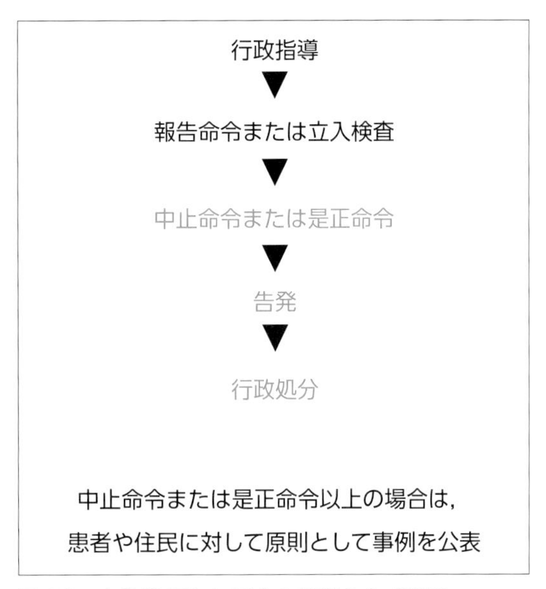

図 12　広告違反した場合の指導および措置

演述など，ほぼすべてにわたっている．具体的には①暗示的または間接的な表現の扱い，②公序良俗に反する内容の広告，③提供される医療の内容とは直接関係ない事項による誘引，④医療の広告範囲を超えた広告，⑤広告が許されていない診療科名の表示，⑥広告が許されていない専門性資格の表示などが示されるようになった．この医療広告ガイドラインに違反した場合の指導および措置も明確化されている（**図 12**）．

(2) 未承認医療用具の展示に関するガイドライン（2017 年改正）[23)]

未承認医療用具の展示については，学会の主催者が常に気に留めておくべき事項である．このガイドラインの要点は，①事前に学術大会の責任者の許可を受けていること，②展示には，未承認品であり，販売，授与はできない旨を明示すること，③客観的データなどの事実に基づいた標榜以外は行わないこと，④研究発表論文以外の関連資料の配布は行わないこと，⑤展示後は，授与せずに廃棄，返送などの適切な措置をとることとなっている．

4章 医療安全

1. 医療安全の必要性と対応

1) 多発する医療事故とその対応

2000年頃から，医療事故に関する新聞，テレビでの報道が急増し，それまでの各分野での事故とあいまって，2004年，内閣府は「日本21世紀ビジョン」で国民生活の最大の願いとして「安全・安心」を厚生労働大臣緊急アピールとして取り上げた．こうしたことが2006年には第5次改正医療法へとつながっていった．

2007年には医療安全推進が第5次改正医療法に従って施行され，従来の病院および有床診療所に加え，無床診療所にも医療安全管理体制の整備が義務化された（**表3**）．日本歯科医師会も同年にこれに準じたパンフレット「歯科診療所における医療安全を確保するために」を全会員に配布し，医療安全に関する意識づくり，仕組みづくりを促した．

2012年，日本口腔インプラント学会では「口腔インプラント治療指針」，引き続き「チェックリスト」，「インプラントカード」を作成し，注意を喚起した．

その後，2014年には第6次改正医療法が公布され，2015年には医療事故調査制度が施行された．日本口腔インプラント学会では2015年に「口腔インプラント治療とリスクマネジメント」を公表し，2020年には「口腔インプラント治療指針2020」に統合して発行した．

インプラント治療に対する医療事故に関しては，その原因の多くが医療安全対策不足によると報告されている．

表3　無床診療所や歯科診療所を含むすべての医療機関で義務づけられている対策
（厚生労働省「医療安全管理義務化の概要」より）

1. 「医療安全管理指針」の策定と，指針に基づく対策の実施
2. 「院内感染対策指針」の策定と，指針に基づく対策の実施
3. 「医薬品業務手順書」の作成と，手順書に基づく業務の実施
4. 「医療機器保守点検計画」の作成と，計画に基づく業務の実施

2) 安全な医療の確保（「歯学教育モデル・コア・カリキュラム　令和4年度改訂版」より改変）

信頼される安全・安心な歯科医療を提供するために，医療上の事故等（インシデントや医療関連感染を含む）は日常的に起こる可能性があることを自覚したうえで，患者の安全確保を最優先するために必要な知識を身につけることが重要である．

①医療上の事故等の発生要因（ヒューマンエラー，システムエラーなど）と防止策

②医療現場における報告・連絡・相談および診療録記載の重要性

③医療の安全性に関する情報の共有，分析の重要性

④医療機関に求められる医療安全管理体制

3) 医療上の事故等への対処と予防（「歯学教育モデル・コア・カリキュラム　令和4年度改訂版」より改変）

医療事故が発生した場合の対処方法と予防策を身につけ，防止対策を立案できることが重要である．

①医療事故（診療関連死を含む，医療にかかわる場所で医療の全課程において発生するすべての人身事故）と医療過誤（医療側に責任がある医療事故）の違い

②医療法に基づく医療事故調査制度
③薬物による有害作用報告（医薬品・医療機器等安全性情報報告制度など）の意義
④医療上の事故等が発生した際の緊急処置や記録事項，報告体制
⑤医療上の事故等の事例（薬害や注射器などの連続使用によるB型肝炎，ウイルス感染被害などを含む）の原因の分析と防止対策の立案
⑥健康被害救済制度（医薬品副作用被害救済制度など）

4）医療従事者等の健康と安全の確保（「歯学教育モデル・コア・カリキュラム　令和4年度改訂版」より改変）

医療従事者が遭遇する医療上の事故等について，基本的な予防・対処および改善の方法を身につけることが重要である．
①医療従事者の健康管理（予防接種・被曝線量管理を含む）の重要性
②針刺し事故などに遭遇した際の対処の仕方
③廃棄物の処理および清掃に関する法律にのっとった廃棄物処理
④医療現場における労働環境の改善の必要性

2．医療安全体制の作り方

1）ヒヤリ・ハット（インシデント）の収集

ハインリッヒの法則は，一つの重大事故の裏には29件の軽微な事故があり，その裏には300件のヒヤリ・ハット（インシデント）があるというもので，安全を語るうえで知っておかねばならない大原則である．インプラント治療においても術者，助手，補助者あるいは受付事務など医療従事者であれば，だれもがヒヤリ・ハットの経験をもっているはずである．この経験は患者の体に危害を与えなかった例から，死亡に至る例まであり，これらのヒヤリ・ハットをレポートとして収集することから医療安全推進行動は始まる．

2）根本原因分析

収集したインシデントの原因を根本に遡って考える．

3）情報共有

根本原因をスタッフが共有することで，次からの事故防止が可能となる．共有しなければ次の事故がまた起きることとなる．

4）医療安全委員会の成立

医療安全管理者を決め，医療安全委員会をその規模（診療所は任意）によって構成し，分析，評価することが勧められる．管理者は事故原因のあぶり出し（①人的要因，②機器的要因，③環境要因，④管理的要因など），対策ポイントの抽出（①知識，技術など教育，②多重安全構造への配慮，③規則，手順の励行，④コミュニケーションスキルなど）を行い，スタッフがみずから解決策を考えられる院内の環境を整備する．

5）ヒューマンエラーからコミュニケーションエラー（システムエラー）へ

治療が高度化し複雑になると，エラーはヒューマンな分野だけでなく，コミュニケーションの分野で起きてくる．したがって，コミュニケーションスキルを向上させることが必要である．術者側，患者側用のクリニカルパスはコミュニケーションツールとして有効であり，システムとしての完成度を上げる．

6）危険予知能力訓練

危険を予知し，危険を回避することは人間としての本能である．しかし，複雑な口腔インプ

ラント治療においては，スタッフ一人ひとりの危険予知能力をさらに練磨する必要がある．

7）再発防止から未然防止へ

これまではインシデントの根本原因分析から「再発防止」に向かってきたが，これからはこの分析結果を集積することで，潜在要因を明らかにし，リスクを予測し，対策が立案できるようになり，事故を未然に防止でき（「未然防止」），安全・安心な医療が提供されることを目標とすべきである．

3. インプラント治療における安全・安心のための遵守事項

インプラント治療が通常の外科治療と異なる点は，通常の外科治療は疾患の原因となる歯あるいは病巣を生体から除去する治療であるのに対し，インプラント治療は健常な生体に異物を移植して咬合再建を図る治療であることにある．このため通常の歯科治療以上に医療安全に注意を払う必要がある．

1）患者側

①インプラント治療に対する患者の十分な理解と協力が得られている（適切なインフォームド・コンセント）．

②インプラント治療を行うのに可能な全身状態を有している（インプラント体埋入手術に対して問題となる疾患がない，またインプラント材料に対する異常な生体反応がない，など）．

③インプラント治療を行うのに可能な局所状態を有している，あるいは適切な状態に改善することを了承している（骨量，骨質，咬合状態，残存歯の状態，残存顎堤の状態など）．

2）医療従事者側

①適切な設備を有し，安全・安心な医療材料を使用する．

②適切なインプラント治療の知識・技術を有する．

③緊急時の対応ができるシステム，連絡網がある．

④安全なインプラント治療を実施できるチームを有している．

⑤インプラント治療に関しての適切なクリニカルパスが実施できる．

⑥インプラント手術の術中・術後管理ができる．

⑦医療安全への知識をもち，実施している．

医療現場におけるリスクマネジメント（リスク管理）

リスクを想定し，起こり得る事態の対策を立て，損失を最小限に抑えるプロセスのことを「リスクマネジメント（リスク管理）」と言います．ではリスクとはどのように評価するのでしょうか．リスクは，危害の重大さと発生確率（使用頻度）の掛け合わせから評価されます．医療現場では，危険性や有害性の高い機器や薬剤はもちろんのこと，危険性や有害性が低くても，日常の使用頻度が多い機器や薬剤には注意が必要だということになります．

5章 口腔インプラントの治療手順

インプラント治療は通常の歯科治療と同様に医療面接から始まり，リコールとメインテナンスまで的確な治療手順を踏んで行われることが望ましい（図13）．これを誤ると治療が失敗し，トラブルを引き起こす可能性がある．患者はインプラント治療を希望して来院するが，目的はインプラント治療を受けることではなく，インプラント治療により機能と審美性を回復し，より質の高い生活，つまりQOLを向上させることにある．このためには，インプラント治療を適切に進めていくうえでほかの治療も含めた手順を熟考する必要がある．

また，近年はデジタル技術が進歩し，術前診断からインプラント体の埋入まで，または上部構造の製作過程に応用されるようになった．アナログ（従来法），デジタルのそれぞれの手法にはメリット，デメリットが存在するため，症例や術者の技術，設備によってうまく使い分けていくことが重要である．

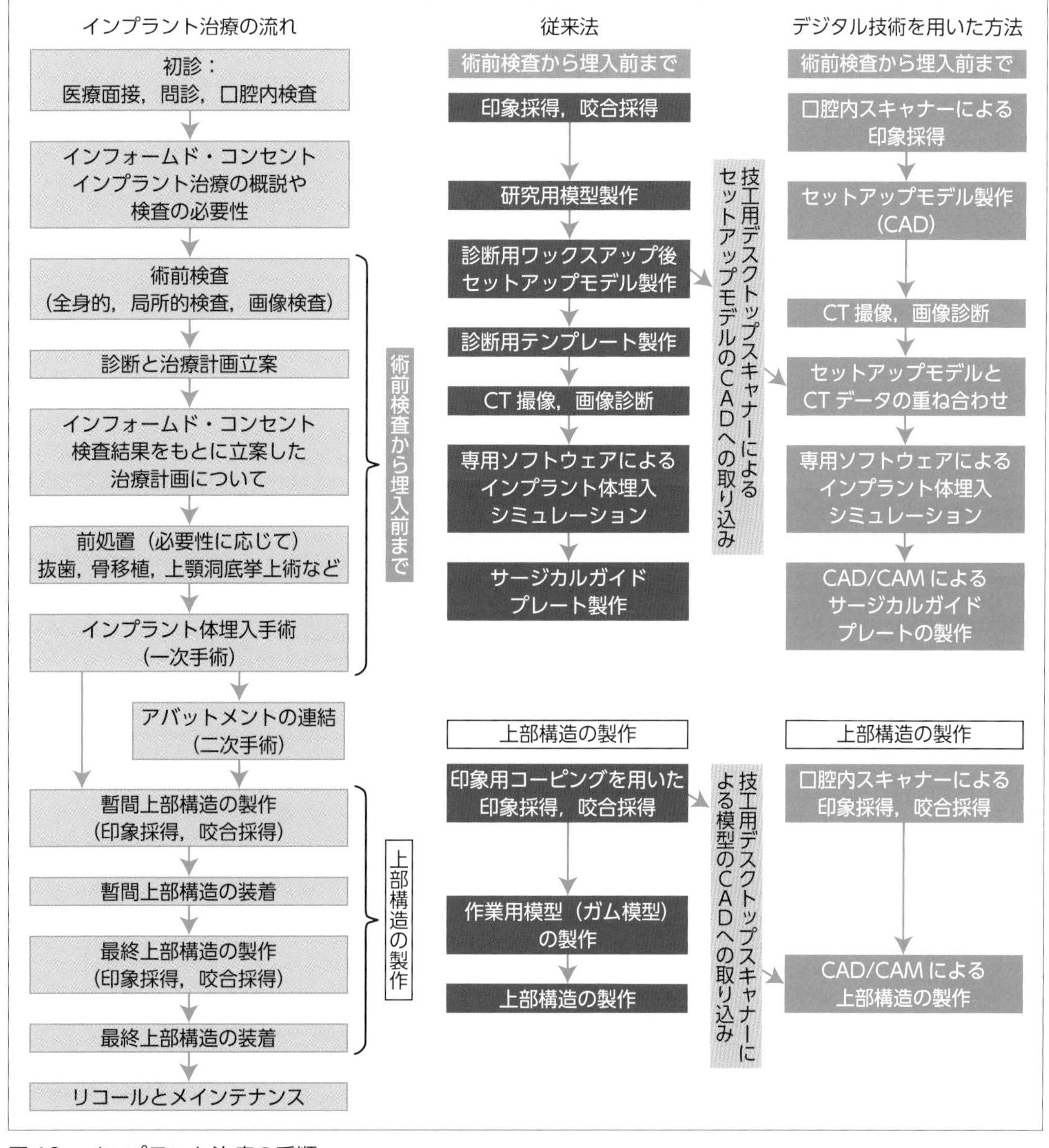

図13　インプラント治療の手順

1. インプラント治療が通常の歯科治療と異なる点

インプラント治療と通常の欠損補綴治療との大きな違いは，インプラント体埋入手術，またこれに関連した骨組織や軟組織のマネジメントなど，侵襲がある外科処置を伴うことである．患者の全身状態によっては外科処置に対して注意，対応が必要な場合や外科処置自体が不可能な場合もあるために術前の全身的な検査は重要である．また，インプラント治療は一般的に高額な治療費を要することや，患者が通常の歯科治療以上に治療結果への期待をもっている場合が多いことも通常の歯科治療と異なる．

2. チームアプローチ

インプラント治療に携わる者には臨床の場での高い知識・技術と倫理的態度が求められ，さらに高度の医療を提供するためには，熟練したチームでのアプローチが不可欠である．すなわち，インプラント治療を行うにあたっては歯科医療各分野に習熟した歯科医師，歯科衛生士および歯科技工士との連携，また，全身状態の把握やコントロールのために内科など医科との連携が必要である．

6章　診察・検査と診断

1. 医療面接

医療面接の目的は，主訴，現病歴，既往歴，家族歴，心理的・社会的因子などの，医療行為を行うために必要な情報を聴取するとともに，患者との良好な人間関係を構築することである．これらを正確に把握するためには，開かれた質問（open-ended question）や，非言語的コミュニケーション（うなずき，表情，姿勢，アイコンタクトなど）を用いて，患者の訴えを支持し，またそれに共感することにより，円滑な聴取が可能となる．

1）主訴および現病歴

歯科を受診した直接の理由について詳しく聴取し，主訴をなす病状や現在に至るまでの経緯を患者から具体的かつ正確に聴取する．インプラント治療を希望する患者は，従来の歯科補綴治療では得られない高い機能的および審美的回復，あるいは残存歯に負担をかけない治療を望んでいることが多い．そのため，個々の患者の具体的な治療への希望を知るとともに，予想される治療効果と患者の期待度とのギャップについても考慮することが，最適な治療計画を立案するうえで重要である．

2）既往歴

患者が現在に至るまでに罹患した全身的疾患について，詳しく情報を収集する．疾患名のみではなく罹患時期，症状，治療，経過についても聴取する．必要に応じて，治療を担当した医師に対診を取り，より正確な情報を得る．また，食物・薬物・金属アレルギー，喫煙，妊娠などについても聴取する．

3）家族歴

近親者（祖父母，両親，配偶者，子など）の病歴を聴取することにより，遺伝性，感染性，地域性，環境性などの要因を知ることが可能となり，疾患やリスクファクターの同定につながる．具体的には，疾患名，死因，死亡年齢，遺伝的疾患の有無，家族的に出現する生活習慣や環境などを聴取する．

4）心理的・社会的因子（生活環境，コミュニケーション能力など）

患者は歯科疾患を主訴として受診するが，その身体的症状は心理的・社会的因子に大きく影響されている可能性も念頭において聴取を行う．また，患者の治療内容に対する理解度，治療への協力度，家族の理解度についても考慮が必要である．高齢患者などにおいてコミュニケーション能力が疑われる場合は，認知機能についても家族や専門職から聴取を行う．必要があれば，患者の経済的環境，継続した通院が可能かどうか，転居の可能性などについても情報を得ておく．

2. インプラント治療の診察・検査と診断

インプラント治療を安全に行い，埋入されたインプラント体を長期間良好に機能させるためには，治療に先立って患者の全身および局所の状態を正確に把握し評価することが必要不可欠である（**図14**）．インプラント治療を行うにあたり，リスクとなる要因のある患者に対しては，慎重に適応を判断する必要がある．

リスクファクターはインプラント治療のステップに応じて，①手術に対するリスクファク

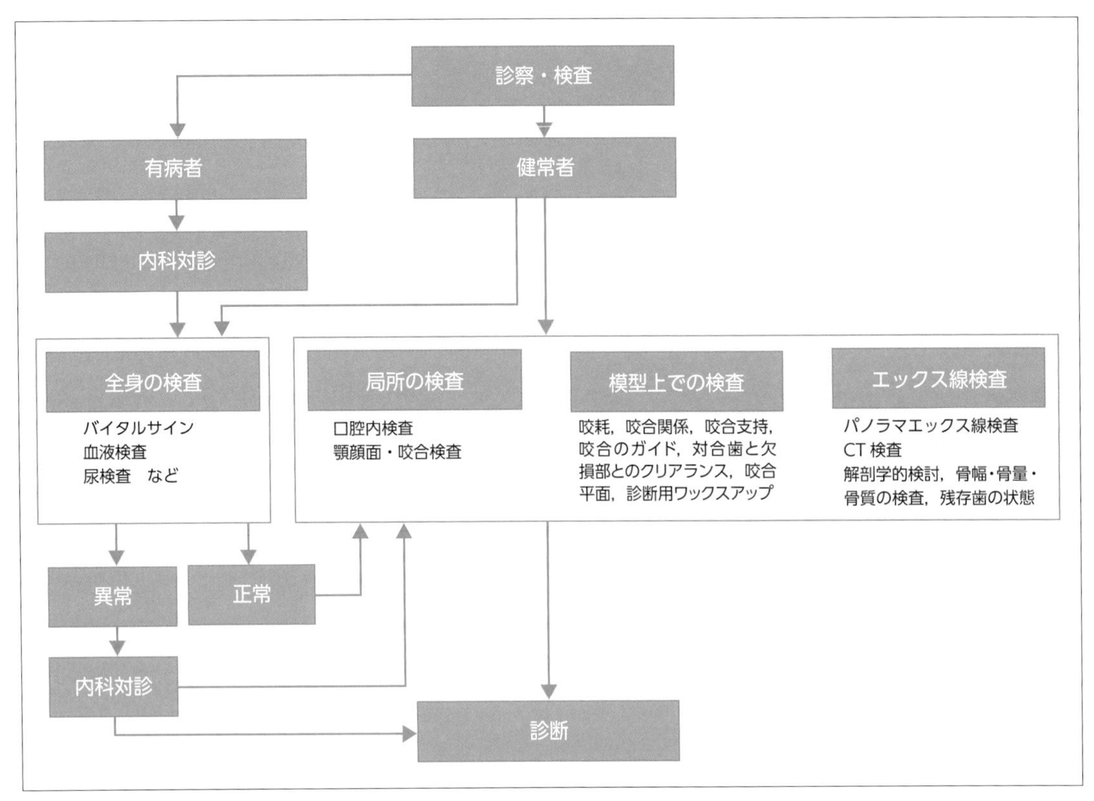

図 14　全身状態および局所状態の診察・検査と診断

ター，②オッセオインテグレーションの獲得と維持に対するリスクファクター，③上部構造の製作と維持に対するリスクファクター，がある．

1）全身状態の診察・検査と診断

(1）全身状態の診察

インプラント治療は外科処置を伴うため，通常の歯科治療よりも詳細な全身状態の把握が必要である．

a）年齢

①高齢者でのリスク

一般的に，高齢になることで全身疾患を保有する頻度は高くなる．しかし，健康状態，認知機能，気力などは個人差が大きく，単純に年齢でインプラント治療の適応，非適応を判断することはできない．一方，現時点での検査で問題がなくても，今後の健康状態や生活の変化を考慮して，インプラント治療が最善か否かについて検討し，患者および家族とよく話し合うことが重要である．

②若年者でのリスク

成長発育過程にある若年者に対するインプラント治療は，顎骨の成長が阻害される可能性や治療後に天然歯と上部構造の間にずれを生じる可能性が指摘されている．このため，インプラント治療の開始時期は慎重に検討するべきであるが，成長停止時期は個人差があるので適切な診察と検査が必要である．

b）喫煙

喫煙者は粘膜に慢性炎症が存在し，外科処置後の粘膜創の治癒不全が起こりやすい．そのため，非喫煙者と比較してインプラント体の生着率および骨造成の成功率が低いとされている．また，喫煙は歯周病を悪化させる要因であると同時にインプラント周囲炎を惹起する可能性が高く，インプラント治療の長期予後にも影響を及ぼす．

このため，喫煙者に対しては喫煙経験年数と1日の喫煙量およびたばこの種類を確認し，インプラント治療に先立って禁煙指導を行う．

c）循環器疾患

①高血圧

普段，高血圧症との認識がない患者であっても，治療を行う前に必ず血圧測定を行う．高血圧症患者は，降圧薬を使用して血圧がコントロールされていても，手術中に血圧が上昇し止血困難となる場合や，術後出血が起こることもあるため注意が必要である．また，高血圧症患者は動脈硬化が原因で，脳（脳出血，クモ膜下出血，脳梗塞），心臓（狭心症，心筋梗塞，心不全），腎臓（腎機能障害，腎不全）などに合併症をもっている可能性があり，手術による患者へのストレス（痛み，不安，恐怖）が大きいとこれらの疾患を増悪させることがある．

②心疾患

代表的な疾患としては虚血性心疾患，不整脈，弁膜症，心筋症，先天性心疾患などがある．これらが進行すると心不全（p.107参照）につながるが，心疾患をもつ患者の運動耐容能を示す指標としては，NYHA（New York Heart Association）心機能分類が頻用されている．

虚血性心疾患には心筋梗塞と狭心症があり，インプラント関連手術に対するリスクは異なる．心筋梗塞の発作が起こった患者では，従来，6か月以上経過後に良好にコントロールされていれば手術可能とされていた．しかし，心筋梗塞後の患者では1か月以内はハイリスクで，その後は心臓の合併症（不整脈，弁膜症など）の有無が重要であり，後遺障害が少なければ早期の外科処置が可能であるが，障害が大きければ時間が経ってもリスクは大きい．狭心症の場合，投薬により良好なコントロールが得られていれば手術可能であるが，術前に発作時の対応（ニトログリセリンなど）を十分に確認する必要がある．

心疾患では抗血栓療法（p.109参照）が行われていることも多い．また，歯科治療，特に観血処置によって一過性の菌血症が生じることがあるが，これにより細菌巣（疣腫）が弁膜や心内膜，大血管内膜に付着すると感染性心内膜炎（p.107参照）を発症することがある．

d）脳血管障害

脳血管障害には，脳梗塞，脳出血，クモ膜下出血などがある（p.109参照）．脳血管障害は，高血圧症，糖尿病，心疾患などの合併症として生じることが多いので，インプラント治療を行う際にはそれらも含めた十分な評価が必要である．また，脳梗塞の患者は抗血栓療法（p.109参照）を受けていることもあるので注意を要する．さらに，脳血管障害により手指の運動麻痺が後遺している場合，口腔清掃が困難になることがある．

e）血液疾患

血液疾患には，血友病などの先天性血液凝固因子欠乏症，血小板減少性紫斑病，白血病，貧血などがある．出血のコントロールができない場合や治療による免疫抑制が強い場合は，インプラント関連手術の相対的禁忌症となる．また，貧血の場合，酸素の運搬機能低下により創傷治癒不全，術後感染を生じる可能性があるため，血色素量（Hb）が10 g/dL未満であれば外科処置を延期することも考慮する．

f）消化器疾患

消化器疾患としては，胃炎，胃・十二指腸潰瘍，胃がん，肝機能障害（後述），膵臓疾患などがあげられる．胃・十二指腸潰瘍の既往がある患者では術後の鎮痛薬の処方に注意を要する．

g）肝機能障害

肝機能障害の原因となる疾患は，ウイルス性肝炎，肝硬変，肝臓癌などであるが，急性期，あるいは末期でなければインプラント手術に直接の影響はないことが多い．ウイルス性肝炎では院内感染に十分な注意が必要である．また，肝機能障害では止血機構に問題が生じることがある．

h）腎機能障害

腎機能障害では循環器系疾患の合併症（高血圧，浮腫，うっ血性心不全など）を伴うことが多いため注意を要する．外科処置の際の抗菌薬，消炎鎮痛薬は，腎機能に負担をかけないものを選択する．腎機能障害が進行して透析治療が必要になると，貧血，易感染性，腎性骨異栄養症などが発現する可能性がある．

i）呼吸器疾患

①気管支喘息

コントロール良好であれば局所麻酔下の外科処置は問題ないが，喘息の誘因となるストレス（痛み，刺激臭，咽頭部への水の流れ込みなど）を避ける．治療中に発作が起こってしまった場合はただちに治療を中止し，座位にて患者持参の気管支拡張薬あるいはステロイド薬を吸入させる．発作が治まらず，呼吸困難を訴える場合にはアドレナリンの皮下注射をするとともに救急搬送を行う．

アスピリン喘息では非ステロイド性消炎鎮痛薬（NSAIDs）は禁忌である．

②慢性閉塞性肺疾患（COPD）

慢性気管支炎，肺気腫またはその両者の併発による閉塞性換気障害を主徴とする．患者の大部分は喫煙歴を有しており，最も重要な誘因である．インプラント治療に際しては，症状増悪の原因となるような長時間の手術やストレスは極力避けなければならない．

j）糖尿病

糖尿病には膵β細胞の破壊による絶対的インスリン欠乏による1型糖尿病と，インスリン抵抗性を主体とする2型糖尿病があり，我が国の糖尿病の大部分は2型である[24]．糖尿病が深く関与する病状としてメタボリックシンドロームがあり，長い病悩期間を有する患者では他臓器障害を併発していることがある．

インプラント体埋入手術に対する糖尿病のコントロールは，通常の待機手術の基準である空腹時血糖140 mg/dL以下，ケトン体（－），HbA1c：6.9%（NGSP値）未満を適用する．

外科処置に際しては，糖尿病性ケトアシドーシス，低血糖，高血糖に注意する．また，高血糖は組織，細胞を低酸素状態に陥らせ，好中球の機能を低下させるため，創傷治癒不全の原因となるほか，経過中のインプラント周囲炎発生のリスクとなると言われている．

k）骨粗鬆症

骨粗鬆症により骨強度が低下するが，現時点ではインプラント治療の成功率について明確な結論は出ていない．一方，骨粗鬆症治療薬（**p.111参照**）として，骨吸収抑制薬を投与されている骨粗鬆症患者では，薬剤関連顎骨壊死（MRONJ）を引き起こすリスクがある（**p.111参照**）．したがってインプラント治療では，処方医師と密接な連携を取り，慎重な手術と厳重なメインテナンスを行うことが重要とされ，さらに将来的な経過不良や顎骨壊死の可能性について十分なインフォームド・コンセントが必要である．

l）自己免疫疾患

潰瘍性大腸炎，関節リウマチ，シェーグレン症候群，天疱瘡，膠原病などの自己免疫疾患に罹患している患者には，免疫反応の異常を抑えるためにステロイド薬（グルココルチコイド）や免疫抑制薬が投与されていることがある．その場合，インプラント手術に際してはストレスによるショック，術後感染に注意する必要があり，ステロイド性骨粗鬆症や口腔乾燥症（p.27参照）もインプラントの予後に影響をもたらす可能性がある．

m）精神・神経系疾患

①精神疾患

神経症，統合失調症，人格障害，うつ病などの精神疾患により，感情面の長期の安定が得られていなければインプラント治療は避けるべきである．うつ病における自殺の危険性や統合失調症における幻聴，幻覚，被害妄想などがインプラント治療を契機に発現，あるいは悪化する可能性もある．

これらの疾患を把握するためには，問診およびお薬手帳により患者が服用している抗不安薬，催眠鎮静薬，抗うつ薬，精神神経用薬などを確認することが手がかりとなる．

②認知症

認知症は，脳細胞の死滅や活動の低下によって認知機能に障害が起き，日常生活・社会生活が困難になる状態の総称である．その中には，アルツハイマー型認知症，レビー小体型認知症，脳血管性認知症が含まれる．

認知症は記憶の喪失だけでなく理解力や判断力も大きく低下するため，インプラント治療への理解・協力が得られにくいことが予想される．そのため，認知症を発症した患者へのインプラント治療は避けたほうがよい．また，インプラント治療後に認知症を発症した場合には，上部構造を口腔管理が容易な形態へ改変することを考慮する．

③パーキンソン病

手指の運動障害が生じると口腔内の十分なメインテナンスが困難となることが予想される．そのため，インプラント治療後の患者がパーキンソン病を発症した場合には，早期の段階で上部構造を口腔管理が容易な形態へ改変することを考慮し，新たなインプラント治療は避けることが望ましい．

n）アレルギー

①薬物アレルギー

インプラント関連手術における抗菌薬，消炎鎮痛薬の投与に注意が必要である．構造が類似する抗菌薬でアレルギー反応を生じたり，アスピリン喘息の既往がある場合，その他の鎮痛薬でも発作を起こしたりする可能性がある．原因薬剤が同定できない場合には，不必要な投薬を避けることも考慮する．

②金属アレルギー

金属製装飾品による皮膚炎は比較的頻度が高く，口腔内では歯科用金属材料によるアレルギー反応がある．金属アレルギーが疑われる場合，インプラント治療開始前にパッチテスト，リンパ球刺激試験を行うことが必要である．

③アトピー性皮膚炎

アトピー性皮膚炎の患者はアレルギーを起こしやすい体質であることから，ほかのアレルギー疾患を併発していることが多いため注意を要する．

o）腫瘍

腫瘍（悪性新生物）そのものはインプラント治療の絶対的禁忌症とはいえないものの，腫瘍に対する免疫療法，化学療法，放射線療法などは，インプラント治療の成功に影響を及ぼす可能性がある．特に，頭頸部への放射線照射は，口腔乾燥，放射線性骨壊死・骨髄炎などを誘発した場合，オッセオインテグレーションの獲得や維持に問題を生じる．

(2) 全身状態の検査

a) 血液検査

現在治療中の全身疾患がある場合には，対診によって検査値を知ることが可能であるが，当該の検査を実施した日付には十分注意が必要である．さらに現在の患者の状態を把握するだけでなく，患者が自覚していない全身疾患を発見するためにも**表 4** に示すような血液検査をすべての患者に対して行うことが望ましい．

表 4　インプラント治療のための血液スクリーニング検査

検査項目		チェック項目
血液一般	白血球数（WBC），赤血球数（RBC），血色素量（Hb），ヘマトクリット値（Ht），血小板数，血液像，赤血球沈降速度	貧血，化膿性炎症，血液疾患
血液生化学	総タンパク（TP），アルブミン，A/G 比，アルカリホスファターゼ，AST（GOT），ALT（GPT），LDH，尿素窒素，クレアチニン，総コレステロール	腎臓の機能，肝臓の機能，栄養状態
糖検査	血糖値，HbA1c	糖尿病
血液免疫学	CRP，HBs 抗原，RPR，TPHA，HCV 抗体，HBs 抗体	炎症の程度，特殊感染症

b) バイタルサイン

体温，血圧，脈拍数，呼吸数，血中酸素飽和度などは，その場で測定することができるため外科処置時だけでなく，歯科受診時にもチェックすることが望ましい．いずれも正常値の範囲を覚えておく必要がある（**表 5**）．

表 5　各種バイタルサインの正常値

項目		正常値
体温		36.0 ～ 37.0℃
血圧	収縮期血圧	<130 mmHg
	拡張期血圧	<85 mmHg
脈拍数		60 ～ 90 回 / 分
呼吸数		12 ～ 20 回 / 分
酸素飽和度		95 ～ 100%

(3) 全身状態の診断

全身状態の評価をする際には，治療可能な状態を除いて禁忌症に相当するかの判断が重要となる．これには絶対的禁忌症と相対的禁忌症がある．相対的禁忌症は状態が改善されれば適応症として扱うことが可能であり，コントロールされていない感染症や糖尿病，高血圧症などがそれである．これに対し，絶対的禁忌症は病状の改善が望めない疾患を有する場合で，重症心臓病，末期の悪性腫瘍患者などがこれにあたる．相対的禁忌症に相当する場合でも，自院での人的・時間的・環境的要因が満たされているかを加味しての評価が望ましい．循環器疾患，脳血管障害，呼吸器疾患などの状態の悪化を引き起こすようなストレスを軽減するためには各種鎮静法の併用が有効であり，緊急事態に即座に対応するためには生体情報モニタ下で手術を行う必要がある．そのうえで，自院では外科処置が困難と判断される場合には，連携する口腔外科などへの依頼を考慮するべきであろう．

2）局所状態の診察・検査と診断

(1) 局所状態の診察・検査

患者の局所状態がインプラント治療を行うのに適しているか，またインプラント治療が患者にとって最適な治療であるか否かを判断するため，**表6**のような診察と検査を行う．

表6　局所の評価に必要な検査項目

顎関節，筋	顎関節，咀嚼筋，パラファンクション
口腔内	咬合状態，残存歯，欠損部位，唾液量
軟組織	病変，付着歯肉
欠損状態	欠損部顎堤の形態，対合歯とのクリアランス，頰舌的位置関係，欠損部顎堤弓の形態，欠損形態と咬合支持
審美領域	リップサポート，フェイシャルサポート，リップライン，スマイルライン，Pink Esthetic Score（PES）と White Esthetic Score（WES），歯間乳頭再建，歯肉の厚み / スキャロップ形態
研究用模型	顎堤形態，対向関係，歯冠長，歯冠インプラント（C/I）比
エックス線	骨量，骨質，上顎洞
口腔機能	咀嚼，発音，嚥下
QOL	口腔関連 QOL 評価

a）顎関節，筋の診察・検査

インプラント術前診察・検査として顎機能検査を行う．顎関節疾患がある場合には，上部構造装着までに治療や管理が必要となる．また，専門医への対診も重要である．

①顎関節および顎位

顎関節の疼痛や下顎頭の運動制限，関節雑音，現在の顎位を検査する．顎関節部の疼痛や機能障害が認められた場合，外科手術後や上部構造装着後に症状が悪化することがあるため，慎重に対応する必要がある．

(ⅰ) 開口障害の有無

開口障害は，①咀嚼筋，②顎関節，③骨格異常など，多くの原因によって生じる．そのため，開口量測定により病態を客観的に判断し，治療の適応を判断することは重要である．開口量は上下顎中切歯切縁間で測定する．開口量が 35 mm 以下の患者へのインプラント治療は困難が予想されるため，慎重に対応する必要がある．最大開口量に加えて，大開口を一定時間維持できるかについても確認する．

(ⅱ) 顎関節異常

顎関節疾患は，①発育異常，②外傷，③炎症，④退行性関節疾患あるいは変形性顎関節症，⑤腫瘍および腫瘍類似疾患，⑥全身疾患に関連した顎関節異常，⑦顎関節強直症，⑧顎関節症に分類される．これらの中には将来的に下顎位が変化するものもあり，インプラント治療のリスクファクターとなるものもある．インプラント治療の適否は，詳細な検査の後に判断する．

②咀嚼筋，口腔周囲筋の異常

臨床的徴候として，咀嚼筋の圧痛，側頭筋および咬筋の肥大，頰粘膜・舌の圧痕などがあれば，ブラキシズムが疑われる．ブラキシズムによる過大な負荷は，スクリューの破折や緩み，インプラント体や上部構造の破損を引き起こすリスクファクターとなる．

b）口腔内の診察・検査（咬合状態・ガイド，歯周，唾液量，欠損状態）

口腔内の状況を把握するために，残存歯列と欠損部の状態〔残存歯（咬耗など）・欠損部の状態，齲蝕の有無，充填物・補綴装置の状態，義歯の使用状況〕，顎堤・顎骨の形態，口腔底の形態，口腔衛生状態，歯周病の有無，口腔粘膜の状態（粘膜の厚さ，角化付着粘膜と遊離粘膜，小帯の有無，付着部位，舌），唾液の分泌，開孔部の状態などを検査する．

①咬合状態・ガイド

残存歯による水平的顎位あるいは垂直的顎位が安定し，適正であるかを評価する．安定している場合には，最終上部構造は具体化しやすい．一方，不安定な症例では，最終上部構造の理想的な形態に対して，インプラント体の位置，方向などの整合性がとりにくくなるため，フレキシブルに対応できる治療計画の立案とともに，暫間上部構造を使用した経過観察による顎位の妥当性の評価が不可欠となる．その結果をもとに最終上部構造を製作する．咬合力が過大な場合は，パラファンクションの可能性も考慮し，インプラントが過重負担となるリスクがあることを認識する必要がある．

単独インプラント上部構造へのガイドは，側方力や回転力が生じやすいため，他のインプラント体と連結する場合がある．この場合，あらかじめ咬合器に装着した研究用模型で診断用ワックスアップを行い，これをもとに製作した診断用テンプレートを用いてエックス線検査を行い，最終的な咬合回復，インプラント体埋入部位についての治療計画を立案する．また，対合歯の歯冠形態，歯軸などが不適切な場合には，矯正治療や歯冠修復によりあらかじめ歯軸の方向を改善しておくことも必要となる．

（i）顎位

水平的顎位あるいは垂直的顎位が安定し適正であるかを評価する．

（ii）咬合のガイド様式

有歯顎者では犬歯誘導あるいはグループファンクションが望ましい咬合様式とされている．顎関節および咬合関係に異常がなければ，上部構造には患者固有の咬合様式（咬頭嵌合位および偏心位における咬合接触）を付与する．

天然歯による偏心運動時のガイドが欠如している場合には，上部構造によるガイドが必要である．上部構造に過度の側方ガイドを付与すると，インプラント頸部に曲げモーメントが発現し，スクリューの緩みや前装部の破折などの機械的不具合や，過重負担によるインプラント周囲骨の吸収などの生物学的不具合の発生リスクが増大する．

基本的には天然歯による側方および前方ガイドを付与し，インプラント体には側方力をかけない咬合接触関係を付与する（臼歯離開咬合）．上部構造による側方および前方ガイドの付与が必要な場合には，暫間上部構造を用いてガイダンス量を十分に精査し，その情報を最終上部構造へ正確に移行することが望ましい．

（iii）咬合平面

対合歯が挺出し咬合平面の不正が生じている場合には，咬合平面の修正が必要であり，インプラント体埋入手術前に行うことが望ましい．

（iv）咬合再構成

前歯部および臼歯部のインプラント治療で，天然歯による両側臼歯部の垂直的咬合支持が確立している場合にはインプラント体への力学的リスクは低い．インプラント治療は義歯治療に比べて咬合支持力が大きく，残存歯の咬合負担を軽減できることが多いが，インプラントへの過重負担に注意が必要である．上部構造による咬合支持か，天然歯による咬合支持かによりリスクの程度が異なる．顎位が不明な場合には咬合再構成が必要であり，垂直的ならびに水平的な顎位や咬合平面の調整を行った後，最終上部構造を製作する．その際，暫間上部構造にて十分な経過観察を行い，咬合接触および顎位が適正であるかを評価することが不可欠である．

②残存歯（p.46 参照）

残存歯の齲蝕の有無，充塡物・補綴装置の状態，義歯の使用状況，残存歯列の咬合関係，口腔衛生状態，歯周病の有無とその広がり，病状の程度を評価する．インプラント体の埋入では，隣在歯の根尖と接触しないよう一定の間隔を保つ．

インプラント治療後，口腔衛生状態が悪化する患者もインプラント治療に対するリスクがあり，さらなる口腔衛生指導，セルフケア能力の向上と口腔衛生状態を良好に保つためのモチベーションの形成に努める．

③唾液量・口腔乾燥

口腔乾燥症の患者では唾液分泌量が低下しており，カリエスリスクが高く，粘膜の萎縮による疼痛などの症状，清掃困難などがあり，インプラント治療の適応を考慮する必要がある．診断のためには，サクソンテストや粘膜湿潤度検査を実施する．

④欠損部位（残存歯列と欠損部の状態）

歯が欠損した部位の状態，咬合平面を診察する．対合歯とのクリアランス（デンチャースペース：骨頂部から対合歯までの距離）は，インプラントシステムにもよるが，約 7 mm 以上必要で，5 mm 以下の場合，上部構造の装着は困難となる．使用するインプラントシステムによりアバットメントの高径が異なるため術前に確認する．対合歯との間隙が小さいと，アバットメントの長さが短くなり上部構造の維持力が低下する．

c）軟組織の状態（病変，付着歯肉の量，口腔粘膜・歯肉の状態）

歯槽骨吸収に起因した欠損部の顎堤形状や幅径，角化（付着）歯肉の量と可動粘膜の領域を診察・検査する．また，インプラント周囲粘膜への小帯付着は，インプラント周囲炎を助長させる要因となるため，付着部位の診察・検査が必要である．

顎堤は通常，いわゆる咀嚼粘膜と呼ばれる不動性の厚い角化付着粘膜に被覆され，歯は角化した歯肉粘膜に囲まれている．この厚い角化付着粘膜に囲まれることによって，インプラント体は周囲の安定と清掃性が得られる．

インプラント周囲粘膜の厚さは治療後の周囲粘膜のエマージェンスプロファイルの形成と維持に大きな関係があると言われている．インプラント周囲粘膜の厚さは thick biotype と thin biotype に分けられるが，前者はインプラント周囲骨組織が十分に維持され，インプラント周囲粘膜の退縮，萎縮が少ないとされている．逆に後者では，インプラント周囲骨組織が菲薄でインプラント周囲粘膜の退縮，萎縮が起こりやすいとされている．

d）欠損状態と分布，欠損の原因の推測

①欠損部顎堤の形態（近遠心径，頰舌径，高径，頰舌的・近遠心的な陥凹）

欠損歯列のパターンを分類し，症例の予後を予測することにより，適切なインプラント補綴設計の決定が可能となる．欠損歯列の分類には，Kennedy の分類，Eichner の分類，宮地の咬合三角などが用いられる．

欠損部顎堤の形態は，インプラントの適応，骨や軟組織移植の適応と関連する検査である．欠損によって頰舌径や高径は減少する．インプラントの長期的な安定のためにはインプラント

頬側に 1.5 ～ 2 mm の硬組織，2 mm 以上の軟組織があることが望ましいとされている．ただし，インプラント体の埋入が可能であっても，頬舌的な陥凹が審美性の回復の妨げとなる場合には，硬・軟組織移植を検討する必要がある．

②対合歯とのクリアランス

対合歯とのクリアランスは，歯冠インプラント比（C/I ratio）に影響する．特にショートインプラントを適用する際には注意を要する．反対にクリアランス不足の場合は上部構造の歯冠形態付与が難しくなるため，インプラント体とアバットメントの選択にも注意が必要である．

③対合歯との頬舌的位置関係

対合歯との頬舌的位置関係は，咬合接触状態に影響するため，歯軸方向への咬合力の伝達や機能咬頭での咬合接触を配慮した埋入位置，埋入方向の検討が必要となる．すなわち，対合歯との頬舌的位置関係に著しい差異があると，画像上で一見骨量があると診断されても，適切な咬合接触を付与できる位置にインプラント体を埋入できない場合がある．過度に傾斜させず，歯軸方向への咬合力の伝達や機能咬頭での咬合接触を配慮した埋入を考慮する．

④欠損部顎堤弓の形態（U 字型，V 字型）

オーバーデンチャーを選択した場合，欠損部顎堤弓の形態を考慮し，インプラントの配置，アタッチメントの種類（バーアタッチメントの適否など）を検討して選択する必要がある．

e）審美領域に必要な診察・検査

審美性が要求される部位のインプラント治療には，歯肉の露出に関係するスマイルライン，口唇や頬部のリップサポートの診察・検査が必要となる．同時に，患者の要望について事前に把握しておくべきである．

①リップサポート，フェイシャルサポートの有無

歯や人工歯は口腔内で口唇を支えている．歯の喪失や顎堤の吸収によってサポートが喪失する．喪失したリップサポートは上部構造により回復されるが，その回復の程度は前歯の唇舌的排列位置や傾斜度，残存骨量によって異なる．そのため，侵襲や治癒期間，コスト，患者の希望に応じて，骨造成や軟組織移植を併用した上部構造（歯肉色材料による粘膜部の再現，オーバーデンチャーの応用）製作が行われる．

②リップライン，スマイルライン

審美性が要求される前歯部の補綴にはスマイルラインが重要であり，歯肉の露出の程度への配慮が必要となる．特にリップライン・スマイルラインが高い場合は，粘膜の退縮や歯冠形態の非対称などが露呈しやすいため注意を要する．

③ Pink Esthetic Score（PES），White Esthetic Score（WES）

軟組織部と歯冠部の審美的評価を行う．術前の状態から問題点を抽出し，治療計画を立案するとともに，治療後も審美性の改善度を評価する．

- Pink Esthetic Score（PES）：軟組織の審美性を評価する．近心歯間乳頭，遠心歯間乳頭，唇側歯頸部粘膜のカーブ，唇側歯頸部粘膜の高さ，歯根様の豊隆，粘膜の色調と表面性状について精査を行う．
- White Esthetic Score（WES）：歯冠部の審美性を評価する．歯の形態，概形とボリューム，色調，表面性状，透明感とキャラクタライゼーションについて検討する．

④インプラントと隣接する歯やインプラント，上部構造の距離

顎堤の近遠心径が狭小であるとインプラント治療が適応外となる場合がある．インプラント - 天然歯の近接限界は 1.5 mm とされている．インプラント体 - インプラント体間の距離は 3

mm 以上とする（p.43 参照）．

歯間乳頭再建の可能性はコンタクトポイントから骨頂までの距離に関係するとされる．インプラントに隣接するものが天然歯（4.5 mm）かインプラント（3 mm）かポンティック（6 mm）かによって回復予測が異なる．予想される歯間乳頭の垂直的回復を考慮してインプラントの配置を計画する．

⑤歯肉の厚み（thin/thick biotype），スキャロップ形態（high/low scallop）

歯肉のスキャロップ形態はインプラント周囲粘膜のアウトラインに影響する．また，その安定性は歯肉の厚みと関与し，biotype（phenotype）と称される．thin biotype，high scallop はインプラント周囲粘膜退縮の危険性が高い．

f）研究用模型による検査（顎堤形態，対向関係，想定される歯冠長・歯冠インプラント比）

研究用模型上で欠損部の状態，挺出歯，咬頭干渉，咬合平面の異常の有無など歯列の不正を確認する．模型検査から欠損部の状態，対合歯とのクリアランス，挺出歯，咬頭干渉，咬合平面の異常などを確認する．同時に，研究用模型上に診断用ワックスアップを行うことにより，歯冠形態，歯冠配置，対咬関係，顎堤形態，想定されるクラウンインプラント比などを確認することができ，最終上部構造の設計，インプラント体の埋入部位と位置，本数，咬合のガイドを決定する参考となる．CT データによる骨量と口腔内スキャナーによる口腔内データのマッチング画像上でのシミュレーションも有効である．

g）エックス線画像による診察・検査

①骨量

骨量，骨質の診断には CT 画像やエックス線画像検査が必須である．インプラント体埋入部の骨量は歯槽骨の高径で 10 mm 以上，幅径は 6 mm 以上が望ましい．埋入計画に際しては，インプラント体周囲にどの程度の骨量が確保できるかを診断する．インプラント体先端と下顎管との間には下顎管損傷を避けるため十分な安全域を設ける必要がある．

（ⅰ）垂直的骨量

歯の喪失後には歯槽骨の吸収が生じる．そのため上顎では，上顎洞底および鼻腔底，下顎では下顎管までの垂直的骨量が不足する場合があり，インプラント体のサイズや適切な位置への埋入が制約されることがある．また，顎堤の吸収状態により上部構造の歯冠長が長くなり，隣接歯との歯頸線の不一致が生じるなど，審美的な問題も生じる．特に顎堤の吸収が著しい前歯部欠損では，審美的な問題を生じるリスクがある．

インプラント体を隣接歯より深く埋入しすぎると，インプラント体周囲に深いポケットが形成され，審美的ならびに生物学的な問題（生物学的幅径の不調和）が生じる．術前にインプラント体埋入部と隣接歯の骨レベルの差を検査し，必要であれば骨移植や結合組織移植などを行う．

（ⅱ）水平的骨量

インプラント体の頬舌側に 1.5 mm 以上の皮質骨の厚みを確保する．顎堤の唇・頬舌側の幅はインプラント体の直径に加えて 2 mm 以上必要で，足りなければ骨造成などの外科処置により骨幅を増やす．

②骨質

骨質の分類には，Lekholm & Zarb の骨質の分類（**図 15**）と CT 値を用いた Misch の骨密度の分類（**表 7**）がある．

Lekholm & Zarb[25] は，皮質骨と海綿骨の割合に基づいて骨密度をタイプⅠ～Ⅳの四つに

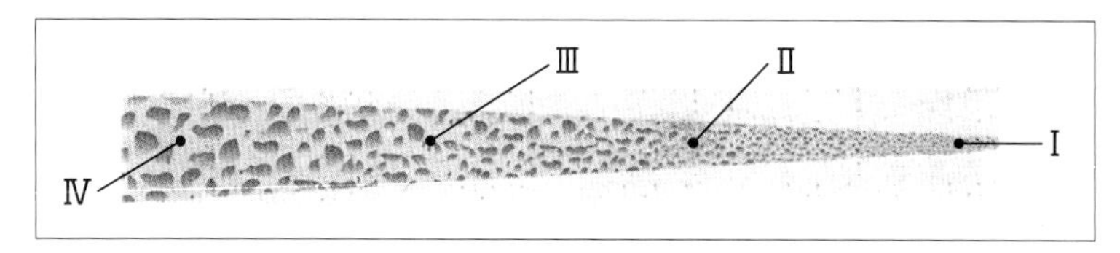

図 15　Lekholm & Zarb の骨質の分類（Lekholm, Zarb, 1985[25] より改変）
タイプⅠは高密度で均質な緻密骨からなり海綿骨はほとんど存在しない病的な骨質．タイプⅡは厚い皮質骨に囲まれた良好な密度を示す海綿骨からなる．タイプⅢはタイプⅡと比べ，やや薄い皮質骨とやや粗な海綿骨を有する．タイプⅡとⅢはインプラント体埋入に適した骨質．タイプⅣはきわめて薄い皮質骨と，きわめて粗な海綿骨からなる不良な骨質．

表 7　Misch の骨密度の分類
Misch は骨のミネラル値が CT 値（Hounsfield 単位）を反映することから骨密度を 5 段階に評価にした．CT 値が 850HU 以上のものは埋入窩形成時に摩擦熱による火傷を生じやすい．また，350HU 以下であると軟らかい骨質のため一次固定が得られにくい．

密度（Density）	Hounsfield 単位
D1	1,250 <
D2	850 ～ 1,250
D3	350 ～ 850
D4	150 ～ 350
D5	< 150

分類しており，タイプⅠの硬い骨質ではドリリング時の発熱による火傷を起こしやすく，十分な注水（生理食塩液）による冷却が必要である．また，過大な埋入トルクは圧迫壊死による骨吸収を起こす可能性がある．タイプⅣの軟らかい骨質では確実な初期固定を得にくく，オッセオインテグレーションの獲得のリスクとなる．この場合，インプラント体埋入後の治癒期間を延長することにより，良好な骨質と同等の結果を得られることが示唆されている．タイプⅡおよびタイプⅢが理想的な骨質と言われているが，CT 画像診断法を用いて骨密度を分析しても，これらを判別することは困難であるとの報告がある．また，破折した歯根を保存し，周囲骨が炎症性骨硬化した場合や，パラファンクションによる持続的刺激により硬化した骨組織は，血管の分布が少なく，オッセオインテグレーション獲得に必要な骨形成細胞が十分遊走されない場合があり，注意が必要である．

③上顎洞までの距離と洞内の異常の有無

歯槽頂から上顎洞底までの距離が近い場合には，クレスタルアプローチやウインドウテクニックによる上顎洞底挙上術を併用するか，ショートインプラントを使用する．このような症例では上顎洞までの距離，洞内の異常の有無，血管の走行，隔壁の位置など解剖学的な三次元的特徴を入念に CT などで精査するとともに，上顎洞粘膜の肥厚，上顎洞炎，鼻中隔彎曲などが存在する場合には，術前に耳鼻科医と対診する必要がある．

h）口腔機能（咀嚼，発音，嚥下）の診察・検査

咬合力低下，舌口唇運動機能低下，低舌圧，咀嚼機能低下，嚥下機能低下，口腔乾燥が疑われる場合は，該当する機能検査を行う．脳梗塞，脳出血後の運動麻痺が後遺している患者の場合，嚥下障害を示すことがあり，慎重な観察が必要である．咀嚼機能の検査には，グミゼリー咀嚼後のグルコース濃度を測定する方法が用いられている．舌機能の検査には，舌圧測定やオー

ラルディアドコキネシスが舌口唇運動機能検査として利用される．嚥下機能の検査には，嚥下スクリーニング質問紙の「EAT-10」や「聖隷式嚥下質問紙」が使いやすい．また舌圧測定も嚥下機能の低下傾向を予測するために有用である．

補綴治療だけでは改善できない口腔機能低下がある場合には，術前からその治療や管理が必要となる．

i）QOL，満足度の評価

現在のインプラント治療の成功の基準は，インプラント体と上部構造に対する評価とともに，患者側からみた治療に対する評価が加えられているのが特徴である（**p.83 表 28 参照**）．すなわち，インプラント治療の目的は口腔関連 QOL（Oral Health-related Quality of Life），ひいては全身の QOL の向上にあることが強調されている[26]．

この口腔関連 QOL を評価するツールとして，The General Oral Health Assessment Index（GOHAI）[27]，Oral Health Impact Profile（OHIP）[28]，Oral Impacts on Daily Performance（OIDP）[29] などのさまざまな口腔関連 QOL の尺度が開発され，応用されている．これまで感覚や想像で捉えられてきた患者自身の治療に対する認識を数値化することができる包括的な評価項目として，患者報告アウトカムはますます重要性を増していくであろう．

(2) 局所状態の診断

局所状態に関する上記の診察・検査を行った後，総合的な診断を行う．その際，上記項目一つひとつの重みを横並びに評価するのではなく，個々に重要度が異なることを念頭に置く必要がある．たとえば，顎関節にクリックが存在することと，開口量が少ないことは同一の重みで評価することはできない．なぜなら，開口量が少ない場合，ドリルを装着したハンドピースを口腔内に挿入する余地がなく，臼歯部の埋入窩形成が不可能となり，インプラント治療が行えないことがあるからである．また，インプラント治療の可否と予後予測は区別して考える必要がある．たとえば付着歯肉が少ない，クラウンインプラント比が悪い，といった場合，インプラント体埋入から補綴までを行うこと自体は問題なく進めることができるが，長期予後におけるリスクをもたらす．そのため，インプラント治療を即時に断念すべき診察・検査結果と，インプラント補綴に長期的に脅威をもたらす診察・検査結果を分けて診断することが重要である．

患者の全身状態の評価において，手術実施に十分耐えられる健康状態であること，術後の治癒，上部構造を長期にわたって維持できると判断された場合は全身的適応症の条件は満たしている．局所の状態では顎骨への放射線照射，ビスフォスフォネート系薬剤の投与を受けていて骨質がきわめて不良な場合，その他，骨量や軟組織量に大きな問題がある場合は禁忌症であるが，条件の改善が可能であれば，インプラント治療は適応できることもある．患者の精神的状態，治療に対する理解力や協力的態度は重要で，治療を希望しても非協力的な場合，説明に対する理解力が乏しい場合，科学的な根拠の乏しい主観を強要する場合，治療期間，金額に不満がある場合など，さまざまな要因で円滑な治療の実施が困難になることがある．適応症として全身的，および局所的条件を満たしていても，治療の実施に際しては，患者の個性を見極める必要がある．

3. インプラント治療に対する総合診断

全身ならびに局所状態の診察・検査を通して得た検査結果を合わせ，総合的なインプラント治療に対する診断を行う．診断結果としては，①インプラント治療を即時に断念すべき，②インプラント補綴に長期的に脅威をもたらすリスクがある，③長期的に安定的な予後が期待できる，という３つに大別できる．①としては，全身状態では心筋梗塞の発症直後や重篤な肝，腎機能障害などがあげられる．局所状態では開口量の著しい不足やインプラント体埋入予定部位における癌が疑われる軟組織所見の存在などがあげられる．②としては，全身状態では喫煙歴，HbA1c の長期的推移など，局所状態では付着歯肉の有無や量，biotype や欠損の分布などがあげられる．また，③においても，長期的な全身や局所の状態の変化はすべての患者に起こりうるため，定期的なメインテナンスおよび全身，局所状態の把握は必須である．②の場合，全身状態においては禁煙の徹底や医科への受診および定期検診の奨励などを，局所においては付着歯肉の獲得や biotype の改善のための前処置の治療計画への組み込みを検討するなどして，できるだけ長期リスクを減じるべきである．これらの診断は，別々の診断者が同一診断を導き出せるような，エビデンスに基づく適切な症型分類の下に行われるべきである．また，適応症として全身的，および局所的条件を満たしていても，治療の実施に際しては，患者の個性を見極める必要がある．

たばこの被害

本人が喫煙しなくても身の回りのたばこの煙を吸わされてしまうことを二次喫煙（受動喫煙）といいます．令和元年７月に厚生労働省から「職場における受動喫煙防止のためのガイドライン」が示されましたが，紙巻きたばこだけでなく，加熱式たばこも含まれます．またニコチンを含まない電子たばこにおいても，令和元年 11 月に同じく厚生労働省から，肺疾患などの健康被害を起こすおそれが否定できないという注意喚起が出されています．さらに，たばこの火が消えた後も，衣服や壁に付着して残留する化学物質が汚染源となる三次喫煙（残留受動喫煙）の健康被害にも警鐘が鳴らされています．

7章　口腔インプラントの画像診断

インプラント治療における画像診断の目的を（**表8**）に示す．

また，診療のガイドラインにて推奨される画像検査の時期と検査法を示す（**表9**）[30]．

検査目的や時期にかなった画像検査法を選択し，インプラント診療の治療計画，周術期，経過観察に適切に用いることが推奨される[30, 31]．

表8　インプラント治療における画像診断の目的

1. 術前の顎骨の骨量，骨質の検査
2. 治療計画シミュレーションへの利用
3. ガイデッドサージェリーや CAD/CAM の応用
4. インプラント治療の障害となる疾患の把握
5. インプラント治療へのインフォームド・コンセント
6. インプラント治療後の経過観察

表9　日本歯科放射線学会のインプラントの画像診断ガイドラインで推奨する画像検査法

初診時：パノラマエックス線検査および口内法エックス線検査
（顎骨の骨量や骨質および障害となる疾患のスクリーニングも行う）
術前画像検査：診断用テンプレートを用いた CT（MDCT あるいは CBCT）検査
経過観察時：口内法エックス線検査（二等分法，平行法）
緊急時（広範な骨吸収や骨髄炎などの重篤な疾患併発時）：CT 検査

1．インプラント治療に必要なエックス線検査の種類と特徴

1）単純エックス線検査

インプラント治療に用いられる単純エックス線検査は，二等分法と平行法による口内法が主流である．インプラント治療後の経過観察やインプラント周囲炎などを把握するための定期的な画像検査は口内法を主とする単純エックス線検査を優先し，その後必要であればパノラマエックス線検査や CT 検査を選択併用することが推奨される（**図 16**）．なお，口内法のうちインプラント体周囲の歯槽骨頂の観察は平行法が推奨される（**p.115 参照**）[30, 31]．

2）パノラマエックス線検査

パノラマエックス線検査は口内法エックス線検査とともに，インプラント治療に必要不可欠な画像検査法の一つである．特に最大の特徴である，総覧像による画像検査は治療計画の立案や患者へのインフォームド・コンセントおよびインプラント治療の妨げとなる疾患の把握にも重要な検査法である．しかしながら，断層撮影であるため拡大像であり，頬舌的な骨量の把握が困難であり，含気空洞などの独特の障害陰影が生じることも熟知して，インプラント治療に利用する必要がある（**p.115 参照**）[30, 31]．

2．インプラント治療に必要な CT の特徴

顎骨の多方向からの CT 断面像，クロスセクショナル画像，CT シミュレーションなど，CT による術前診断は，インプラント治療に必要な画像検査法である．また確実なインプラント治療を実施するために CT の原理や CT DICOM データによるコンピュータソフトの原理も理解することが推奨される（**p.115 参照**）[32-37]．

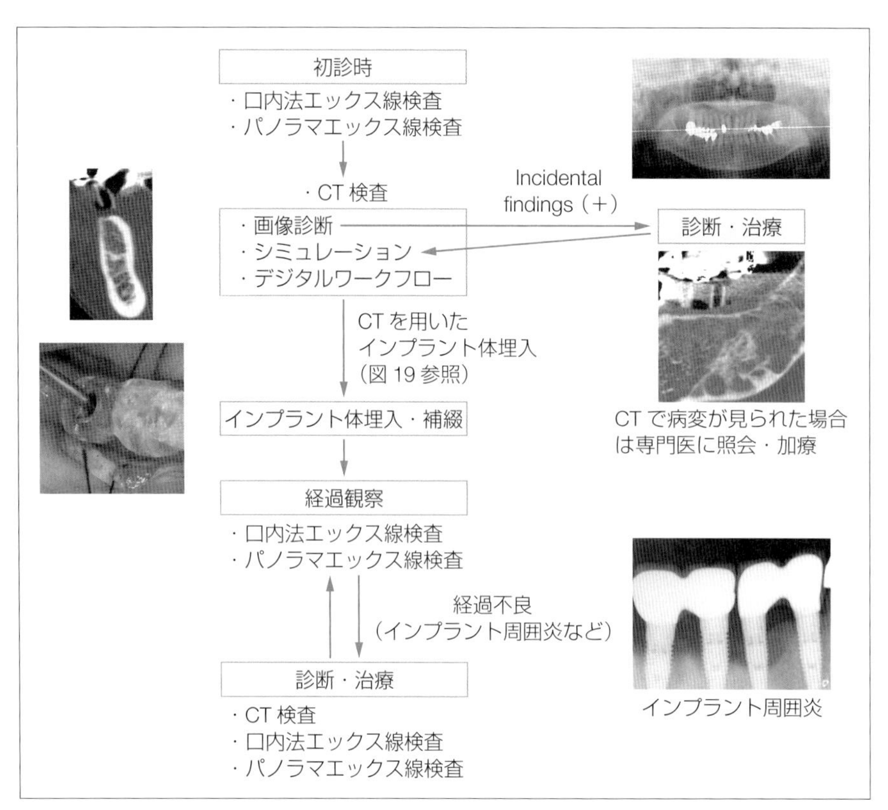

図 16　インプラントの画像診断の流れ
＊Incidental findings：主訴部位以外に CT などの画像検査で偶然病気が見つかること

1）CT 読像時の留意点

（1）下顎

埋入部位の下顎骨の骨形態，骨高径や骨幅，さらに下顎管までの距離（**図 17，18**）やオトガイ孔からの距離を十分考慮する必要がある．特にインプラント体の舌側への穿孔を避けるなどの配慮が必要である．また二重下顎管などの形態異常や，骨粗鬆症や年齢および歯の喪失程度により読像しにくい症例もあるため，下顎孔やオトガイ孔から CT 画像を必ず連続的に追いながら読像する必要がある[38, 39]．

（2）上顎

上顎洞や鼻腔への穿孔に注意する．骨造成を併用するときは，上顎洞炎や上顎洞自然孔の閉塞の有無，後上歯槽動脈の位置や走行，上顎洞の隔壁の有無や位置などを CT にて正確に把握する必要がある．

上顎洞は発達の程度に差はあるが，正常 CT 像はほぼ左右対称で，含気を有し，粘膜肥厚や粘液の貯留がなく，自然孔が閉塞していない状態である．上顎洞や顎骨の正常像を熟知のうえ読像し，インプラント治療に役立てることが推奨される[38, 39]．

2）鑑別診断

画像診断で検出されるインプラント治療の障害となる疾患を列挙する[39, 40]．これら疾患を中心に十分な鑑別診断を行う必要がある．

①放射線治療後の顎骨異常
②骨粗鬆症（ビスフォスフォネート系薬剤などの骨吸収抑制薬服用患者は特に注意）
③炎症性疾患や感染症など（上顎洞炎や骨髄炎含む）

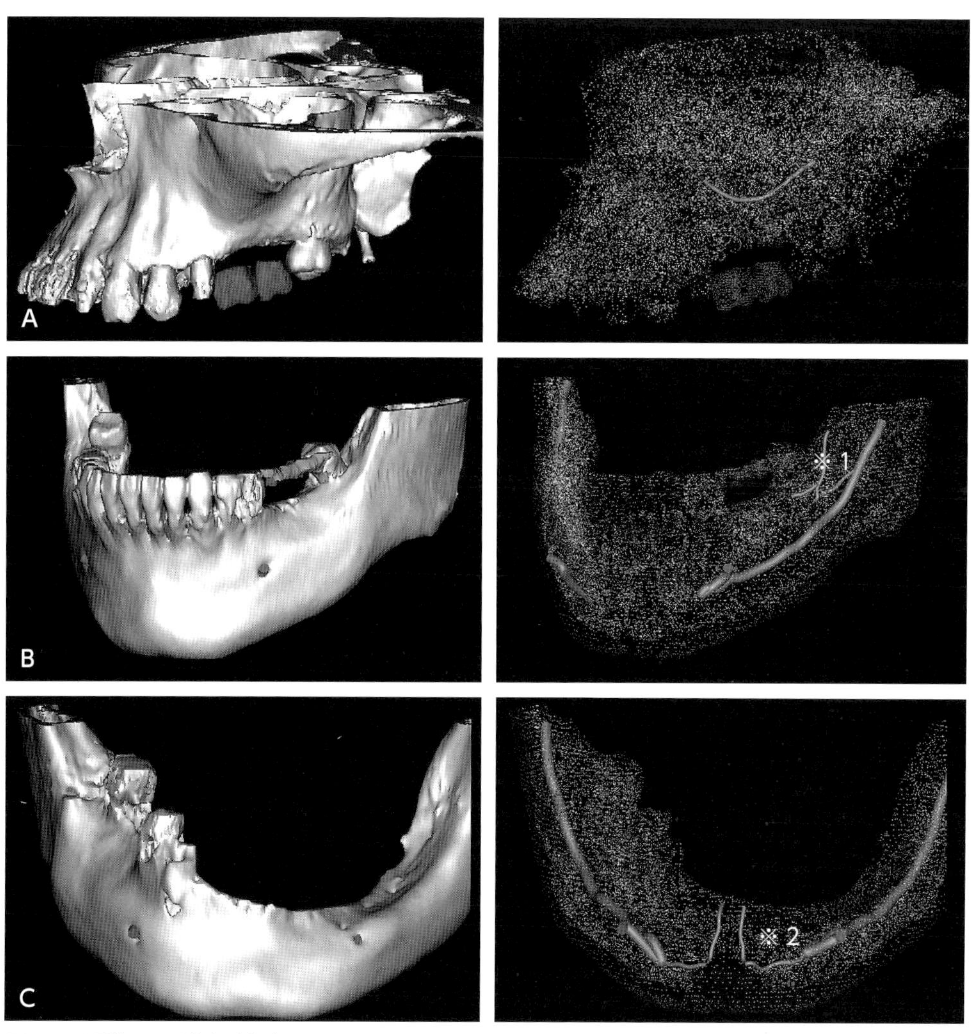

図 17　正常 CT 画像解剖（A：上顎：後上歯槽動脈，B：下顎：下歯槽神経臼歯枝・臼後枝が走行する小管（※ 1），C：下顎：下歯槽神経切歯枝が走行する小管（※ 2））

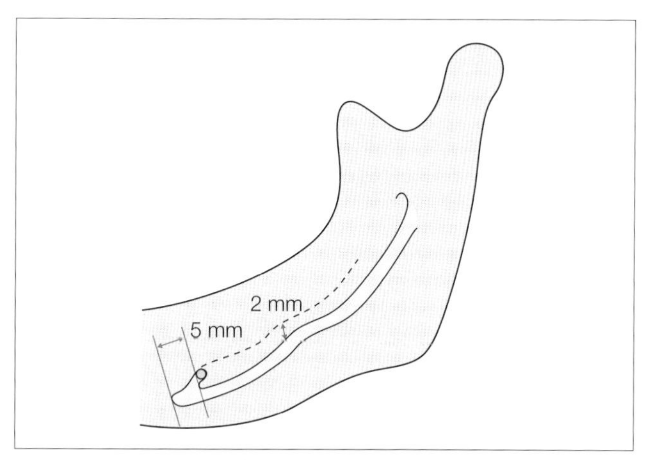

図 18　下顎管とインプラント体の距離

インプラント体埋入時は下顎管から 2 mm 以上離し，下顎管の折り返しを考慮しオトガイ孔から近心 5 mm への埋入は避ける．

3. インプラント治療における画像診断の注意点

1）報告義務とインフォームド・コンセント

画像検査の際には，インプラント体の埋入に関する読像ばかりでなく，画像にて何らかの疾

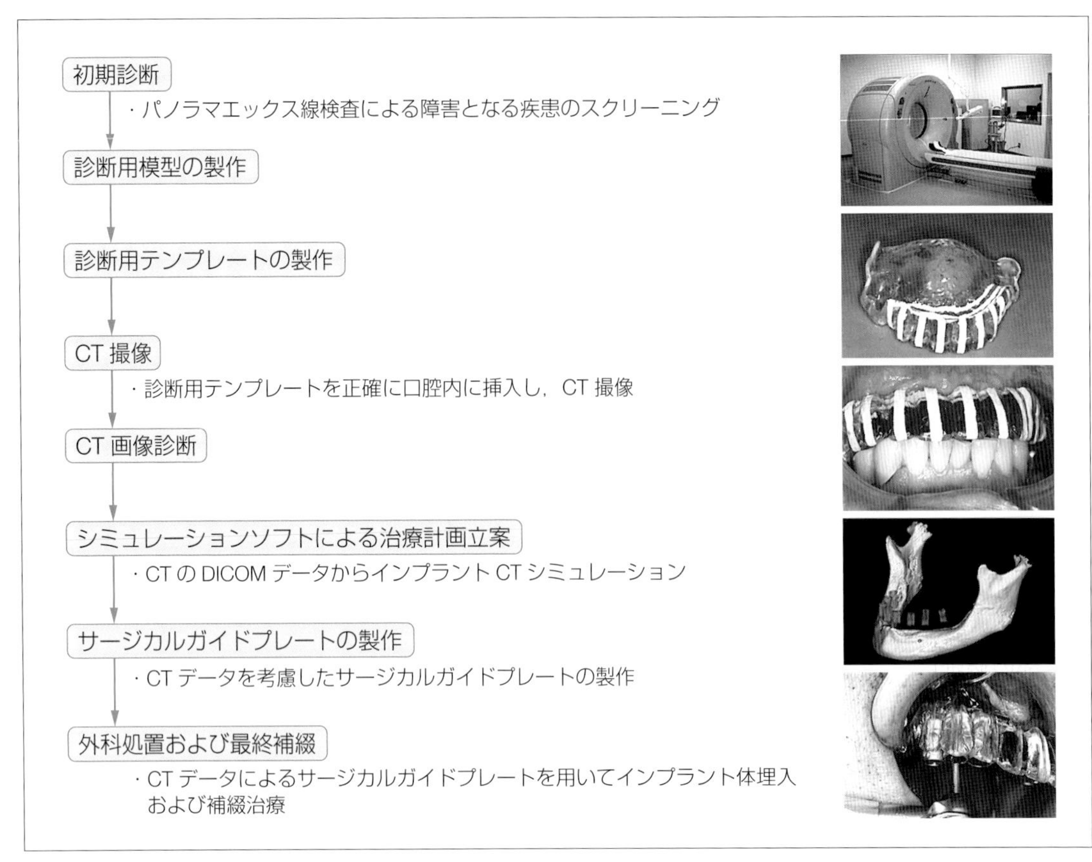

図 19　CT を用いたインプラント治療の流れ

患が発見（incidental finding）された際には，患者に告知し，症例によってはこれら疾患の治療を優先し，治療後に再度インプラント治療に臨むべきである．

CT による鑑別診断や CT 検査報告は必須である．特にインプラント治療時のリスクファクターとなる疾患は十分検討する必要がある[39]．

2) 画像データの取り扱いの留意点

CT を用いたインプラント治療の流れを**図 19** に示す．CT 検査後の CT データは，デジタルデータ互換性のある DICOM 化した状態で，患者情報も取り扱わなければならないため，CT データ取り扱いの際は DICOM についても正確に知っておく必要がある[39]．

(1) DICOM について

DICOM（ダイコム）は，Digital Imaging and Communication in Medicine の略語である．同規格は，CT などの医療用デジタル画像規格と患者情報をやり取りする通信規格を定義するため，単なるデジタル画像規格ではないことに留意すべきである．DICOM データには患者の氏名，年齢，撮影装置，検査日，病院名など，種々の個人情報が含まれている．よって DICOM データは個人情報として取り扱うことが大切である．

(2) 歯科用 CT をインプラント CT シミュレーションに用いる問題点

CT シミュレーションの画像は CT 値で画像が構成される．よってインプラント CT シミュレーションを正確に行うためには「正確な CT 値」を得る必要がある．現在のコーンビーム CT は，散乱線が多いため画素値であり，正確な CT 値が得られない現状がある．よってシミュレーションによる三次元像での評価ばかりでなく，インプラント体埋入時の計測は正確な条件の二次元像でも再度詳細に計測することが推奨される[39]．

3）CTシミュレーションによる手術計画

CTの画像診断やCTシミュレーションに用いられる手術計画時の観察画像ではウィンドウレベル（画像表示のCT値の中央値），ウィンドウ幅（画像表示のCT値の幅）の知識も必要である（**p.118参照**）．

通常，CT読像時は観察したい部位にウィンドウレベルを設定し，その領域が観察できるようにウィンドウ幅を設定する．通常，骨を見るためにはウィンドウレベルを上げ，ウィンドウ幅を広げた設定となる．歯科用CT（CBCT）は軟組織表示がなく，骨表示を中心としたCT装置である．CT観察時は，ウィンドウ幅を狭くするとコントラストが向上し，小さなCT値の差を濃淡表示できるが観察できるCT値の範囲は狭くなる．一方，ウィンドウ幅を広くするとコントラストが低下し，小さなCT値の差を濃淡表示できなくなるが観察できるCT値の範囲は広くなるのが特徴である．インプラントの画像診断は顎骨を対象にするため骨条件での表示を主に使用する．しかし，軟組織に何らかの病変が存在するときは，ウィンドウレベル，ウィンドウ幅を調整し，軟組織条件でのCT観察の併用が推奨される（**p.118参照**）．

CT検査依頼時に注意すべき点とCTデータの取り扱い

外部の病院にCT検査を依頼する際は，診断用テンプレートを用いることが推奨される．診断用テンプレートが歪まず，位置ずれのない状態でCT撮像を行うことが重要である．しかし，CTデータからのガイデッドサージェリーを施行する場合はこのかぎりではない．またCT画像診断時は，インプラント体埋入時の事故を極力回避するため，DICOM処理し，術前シミュレーションも繰り返し施行する必要がある．被曝を伴った患者のCTデータは，術前の読像，術前シミュレーションやガイデッドサージェリーなどへの使用のみならず，必要に応じてその後も何回も繰り返し使用することが推奨される．

4）インプラント術後のエックス線検査の読影ポイント

インプラント体埋入後のエックス線検査の読影ポイントは，辺縁歯槽骨やインプラント体周囲の骨吸収の有無が主である．口内法は第一選択とされる有効な術後のエックス線検査法である．しかしながら，頬舌側の吸収や3骨壁性などの骨吸収の検出は困難であるため，臨床所見からそのような吸収が疑われたときは，追加検査としてCT検査が推奨される[30]（**図16**）．

5）被曝への配慮

被曝を考慮し，短期間での複数回のCT検査は避け，限局した照射野でのCT利用が推奨される．医療被曝に線量制限はないが，個々の患者へのインプラント治療におけるCT検査の有効性とCT被曝を常に秤にかけ，被曝に配慮したエックス線検査が推奨される[41, 42]．

6）線量管理・記録

2019年に医療法施行規則を一部改正する省令が公布され，2020年4月1日より医療放射線の線量管理・記録が義務づけられるようになった〔厚生労働省：医療法施行規則の一部を改正する省令（厚生労働省令21号），2019〕[43]．

同規則では線量管理・記録の対象となる医療機器などとして，厚生労働大臣の定める放射線診療に用いる医療機器，陽電子断層撮影診療用放射線同位元素，診療用放射線同位元素の3種の装置が明示され，CT装置も示されている．線量表示機能を有しない放射線診療に用いる医療機器については，当分の間，医療被曝線量の記録を行うことを要しないとの経過措置も設けられているが，CTを有する歯科医院でも，医療放射線管理・記録を行う義務が生じているため，今後十分検討する必要がある．

8章 治療計画

1. プロブレムリスト

インプラント治療の治療計画の立案にプロブレムリストの作成は非常に有用である．プロブレムリストは患者の健康や口腔の状態，治療に関する特定の問題や課題をまとめたものである．プロブレムリストは，患者の要望や制約を正確に理解し，最適な治療計画を立てるうえでの基盤となる．

プロブレムリストを作成することで，以下のような情報が整理され，治療計画の品質が向上する．

(1) 患者の口腔の状態と要望の把握

患者の口腔の状態や要望を明確に把握するために，歯列，骨量，歯周組織の状態，咬合，審美的な要望などの情報を収集する．

(2) 健康上の制約の特定

患者の健康状態や既往歴，薬剤使用などを評価し，治療に影響を与える可能性のある制約やリスクを特定する．

(3) 既存の問題の洗い出し

患者が抱える既存の口腔の問題や歯周病，齲蝕，欠損などをリストアップし，これらの問題が治療計画にどのような影響を及ぼすかを検討する．

(4) 治療目標の確立

患者とともに治療目標を設定し，どのような結果を期待するかを明確にする．これにより，治療の成功基準を確立することができる．

(5) 治療計画の策定

プロブレムリストを基に，患者の要望と制約に合わせた最適な治療計画を立案する．これは，インプラント体の本数，位置，手術方法などを選択する際の指針となる．

プロブレムリストは治療計画の基礎となり，患者の個別の状態と要望に適したカスタマイズされたインプラント治療を提供するために不可欠な要素である．

プロブレムリストの作成例

患者の医療面接，口腔内検査およびエックス線検査の情報から治療に必要なプロブレムリストを作成する[44]．

以下はプロブレムリストの一例である．

#1 糖尿病のコントロールが不十分

#2 下顎左側臼歯部欠損による咀嚼機能障害

#3 上顎前歯部の審美障害

#4 上顎左側臼歯部の提出

このリストにあげるものは主訴，診断（病名），症状，身体的問題，社会的問題，精神的問題などがある．各プロブレムに対して追加検査，治療および口腔衛生指導などを計画する．

2. 治療計画において考慮すべき点（表10）

表10　治療計画において考慮すべき点

患者について考慮すべき点	医療従事者側の考慮すべき点
1. 口腔健康状態の評価 2. 骨量と骨質の評価 3. 全身の健康状態 4. 患者の要望 5. インプラント体の本数と位置 6. 手術方法 7. 上部構造の種類 8. 治療スケジュールとコスト 9. メインテナンス，フォローアップ	1. 手術技術の経験と熟練度 2. 口腔解剖学の知識と理解 3. 併発症の管理能力 4. 技術の継続的な向上 5. チームワークとコミュニケーション能力 6. 施設の機器，設備

1）患者について考慮すべき点

インプラント治療の計画を立てる際には，患者の個別の状態と要望に合わせて慎重に考慮するべき多くの要因がある．

(1) 口腔健康状態の評価

患者の歯列，歯周組織の状態，咬合，審美的な要望などの口腔健康状態を評価する．既存の齲蝕や歯周病などが治療計画に影響を及ぼす可能性があるため，これらの要素を正確に把握することが重要である．

(2) 骨量と骨質の評価

インプラント体を埋入するための骨量と骨質を評価する．十分な骨があるかどうか，あるいは骨造成が必要かどうかを判断し，適切な治療計画を検討する．また，インプラント体の初期固定を得るのに適した骨質であるかを評価する．

(3) 全身の健康状態

患者の全身の健康状態，既往歴，基礎疾患，服用薬などを考慮し，インプラント手術に耐えられる健康状態であるか，また，インプラント治療の長期的成功に影響を与える可能性のある健康上の制約を評価する．

(4) 患者の要望

患者の審美的な要望や機能的な要望を確認し，術者と患者が共有できる治療目標を設定する．患者とのコミュニケーションを通じて，望む結果や期待値を理解することが重要である．

(5) インプラント体の本数と位置

インプラント体の本数と位置を決定する．欠損した歯を置き換えるためのインプラントの配置を検討し，咬合力や審美性を考慮して適切な位置を決定する．これは，患者の要望によって選択される上部構造の種類や骨量と骨質に大きく依存する．

(6) 手術方法

インプラント体を埋入する手術方法を選択する．オープンフラップ手術かフラップレス手術か，抜歯即時埋入，早期埋入，待機埋入などの手術法を選択する．これらは，骨造成の必要性や残存骨の状態によって制約を受ける．

(7) 上部構造の種類

固定性または可撤性，上部構造の材質などを考慮し，患者の要望に合った適切な上部構造を検討する．

(8) 治療スケジュールとコスト

インプラント治療のスケジュールと予算を計画する．必要な手術回数や治療期間，費用などを明確に説明し，患者との合意を得る．

(9) メインテナンス，フォローアップ

手術後のメインテナンスとフォローアップを計画する．治療結果の評価を行い，必要に応じて調整や再評価を行う．

これらの要因を総合的に考慮して，患者にとって最適な治療計画を立てることが重要である．個々の患者の状態に合わせてカスタマイズされたアプローチを取ることで，患者と術者の両者が満足できる成功率の高いインプラント治療が達成できる．

2）治療計画において医療従事者側の考慮すべき点

インプラント治療計画の立案において，術者側は以下の点を考慮すべきである．

(1) 手術技術の経験と熟練度

インプラント体埋入手術は高度な技術と熟練度を要する．医療従事者の手術経験と技術の熟練度は，手術の成功率や併発症のリスクに影響を与える可能性がある．より経験豊富な医療従事者は，難易度の高いケースにも対応できるかもしれない．すべての可能性を患者に説明する必要があるが，術者の技量の限界についても説明する必要がある．

(2) 口腔解剖学の知識と理解

インプラント治療には詳細な口腔解剖学の知識と理解が必要である（p.4 参照）．医療従事者は口腔内の構造や血管・神経の配置を理解し，手術中にこれらの構造を損傷しないための適切な技術を要する．

(3) 併発症の管理能力

手術中や手術後に生じる可能性のある併発症（出血，感染，神経障害など）に対処できる能力が求められる．併発症が発生した際に的確な対応ができることが重要である．

(4) 技術の継続的な向上

医療技術は進化し続けている．医療従事者は継続的な学習とトレーニングを行い，最新の技術や治療法にアップデートする努力をすることが重要である．

(5) チームワークとコミュニケーション能力

インプラント治療は患者，歯科技工士，ほかの専門家との協力が必要である．医療従事者にはチームワークと良好なコミュニケーション能力をもち，連携して治療を進めることが求められる（p.18 参照）．

(6) 施設の機器，設備

手術室，放射線設備，埋入手術のための器具と材料，麻酔管理機器，滅菌と感染管理のための設備，コンピュータ支援技術，救急対応の設備，患者とのコミュニケーションツールが整っていることで，安全で質の高いインプラント治療を提供できる環境が整う．

医療従事者の技術レベルが高いほど，より複雑なケースにも対応できる可能性がある．経験の浅い術者は，適切なトレーニングと指導の下で安全に治療を行う必要がある．患者の健康と安全を最優先に考え，適切な知識と技術をもつ医療従事者を目指すべきである．

3. 補綴主導型インプラント治療（restorative oriented implant treatment）の治療計画

補綴主導型インプラント治療とは，最終上部構造の設計後に，上部構造の支持に最適なインプラント体埋入計画を立案する治療である．治療計画の立案にあたっては，上下顎の研究用模型に上部構造の理想的最終形態をワックスアップし，インプラント治療のセットアップモデルとする．このセットアップモデルを原型として製作した診断用テンプレートを患者に装着してCT撮像を行うことで，シミュレーションソフトを用いて最終上部構造を支持するために最適なインプラント体の配置や埋入方向，インプラント体の直径や長さを計画する．この過程はインプラント体埋入手術を安全で正確に施行するために，必要不可欠な重要な手順である．

1）診断用ワックスアップ，バーチャルワックスアップ

上下顎研究用模型の欠損部に最終上部構造の形態を想定したワックスアップを行う．必要であれば，咬合平面，咬合彎曲，対合関係，咬合様式を考慮して残存歯の形態を修正する．理想的なインプラント体埋入計画を立案するためには，正常な顎位における正確な上下顎関係記録が必要である．

欠損部のクリアランス（デンチャースペース）が不足する場合に，対合歯の矯正，形態修正，再補綴または咬合高径の挙上によるクリアランスの確保について検討する（**表11**）．

デジタル技術の導入により，CAD上でバーチャルの歯を最終的な上部構造の形態として設定することができる．バーチャルワックスアップは診断用テンプレートが不要であり，上部構造の形態の変更が容易である．

表11　診断用ワックスアップによる検査項目

項目	内容
デンチャースペースの大きさ	上部構造装着に必要な量を確認する．
対合歯との咬合関係	近遠心的対向関係，頬舌的対向関係を確認し，ワックスアップの形態を決定する．
欠損部の近遠心径	特に中間欠損では，インプラントの埋入本数や直径を決定する重要な検査項目である．また，矯正治療の必要性を検討する根拠となる．
顎位	上下正中の位置や，咬合状態を検査し，患者の顎運動の検査と合わせて顎位を評価する．
天然歯の咬合再構成の必要性	咬合平面の乱れを検査する．患者の顎運動の検査（偏心運動時のガイド）と併せて咬合再構成の必要性を診断する．

2）診断用テンプレート

セットアップモデルでワックスアップされた最終上部構造の形態を熱可塑性の透明樹脂や流し込みレジンなどで置換して診断用テンプレートを製作する．画像診断を容易にするため，診断用テンプレートの歯冠部の中央にエックス線不透過性のマーカーを設定する．または，歯冠部のレジンに硫酸バリウムなどを混入する．また，バーチャルワックスアップや3Dプリンタなどを利用することで，模型製作やワックスアップ，樹脂への置換のための技工操作を行うことなく，インプラント体埋入シミュレーションとサージカルガイドプレートの製作が可能である．

3）エックス線検査

診断用テンプレートを装着した状態で，パノラマエックス線検査およびCT検査を行う．そ

のほかに診断用テンプレートをCT撮像して患者のCTデータと重ね合わせる方法（ダブルスキャン）や模型のスキャンデータとCTデータを重ね合わせる方法などが利用できる．

4）骨量・骨質の評価

計画したインプラント体埋入位置に十分な骨が存在しているか，あるいはインプラント体の初期固定を得るために十分な骨質であるかを評価する（**p.29 参照**）．

5）サージカルガイドプレート

画像診断の結果を参考にして，ドリルの方向の指標となるように診断用テンプレートを改造してサージカルガイドプレートを製作する．または，コンピュータシミュレーションのデータから製作したCAD/CAMによるサージカルガイドプレートが利用できる（**p.74 参照**）．

6）上部構造の設計およびインプラント体の配置の決定

画像診断の結果を参考にしてインプラント体の埋入本数および位置と方向を決定する．インプラント体の配置の決定には，患者の全身状態，局所状態，上部構造の種類や患者の希望を考慮する．

1歯または2歯欠損におけるインプラント治療では，欠損1歯に対してインプラント体を1本配置することが望ましい．3歯以上の欠損では，ブリッジタイプの上部構造が選択できる．多数歯欠損や無歯顎のインプラント補綴では，固定性ブリッジ，あるいはオーバーデンチャーなど，上部構造の種類によりインプラント体の本数，埋入位置は異なる．**表12** にシステマティックレビューの結果に基づく設計とその成績を示す．固定性におけるインプラント体の本数はワンピースブリッジを想定したものである．複数のブロックに分けた補綴の場合には，より多くのインプラント体を必要とする．患者の咬合力や骨質など多くの因子が関与するため，適正なインプラント体の本数を決定する方法は確立していない．

表12　上部構造の設計とその成績

<table>
<tr><td rowspan="2">上顎無歯顎</td><td>大臼歯まで修復する固定性ブリッジ[45]</td><td>4～6本以上</td><td>・本数はこれより多いほうが成績は良好
・本数は多いほうが長期経過時の不具合に対応がしやすい
・前後的に広く多角的に配置
・カンチレバーは1歯分まで
・上部構造に十分な剛性を付与</td></tr>
<tr><td>オーバーデンチャー[46]</td><td>4～6本以上</td><td>・4本未満ではインプラント治療の不具合が多い
・前後的に広く多角的に配置
・連結するほうが成績は良好
・回転許容型は避ける
・エビデンスは不足</td></tr>
<tr><td rowspan="3">下顎無歯顎</td><td>大臼歯まで修復する固定性ブリッジ[47]</td><td>4～6本以上</td><td>・本数は多いほうが長期経過時の不具合に対応がしやすい
・前後的に広く多角的に配置
・4本より多いほうがインプラント治療の不具合は少ない</td></tr>
<tr><td rowspan="2">オーバーデンチャー[48, 49]</td><td>2本以上</td><td>・犬歯あるいは側切歯間に配置
・連結 / 非連結の骨吸収への影響は少ない</td></tr>
<tr><td>1本</td><td>・1本でも良好な成績の報告がなされているが，長期的なデータは不足</td></tr>
</table>

4. インプラント体の選択

各症例の条件に対応して，インプラント体の種類，長さと直径を選択する．

1）インプラントの種類の決定

インプラント体は埋入深度によって，インプラントのプラットフォームを埋入位置の骨縁と同じレベル以下に埋入するタイプ（骨レベルインプラント）と骨縁上に設定するタイプ（組織レベルインプラント）を選択できる．骨レベルインプラントは埋入後にカバースクリューを使用し 2 回法として使用したり，ヒーリングアバットメントを連結して 1 回法として使用したりすることができる．また，プラットフォームから対合歯までのクリアランスが大きいので，上部構造の設計の自由度が高いが，インプラント - アバットメントの連結部が骨レベルに近いので，微少漏洩によるインプラント辺縁骨の吸収が報告されている．組織レベルインプラントは主に 2 回法として使用される骨レベルインプラントと比較して，上部構造の設計の自由度は低いが，インプラント - アバットメント連結部が骨レベルから離れているので微小漏洩の影響は少ない．

2）インプラント体の埋入位置の決定

上部構造を支えるために最適な位置にインプラント体の埋入位置を決定する．インプラント体は垂直力に強く，側方力に弱いとされている．インプラント体の埋入位置は，上顎洞，オトガイ孔，下顎管などの解剖学的な制約を受ける．また，埋入部位の顎骨の形態や欠損部近遠心径などを考慮して埋入位置を決定する．基本的にはインプラント体と天然歯の間隙は 1.5 ～ 2 mm 以上の距離をとり，インプラント体とインプラント体との間隙は 3 mm 以上の距離をとる必要がある．骨幅に関しては，頰舌的に 1 ～ 2 mm 以上の骨の厚みが必要で，不足する場合は骨移植などが必要である（**図 20，21**）．また，上顎前歯部など審美領域におけるインプラント体の埋入位置は，垂直的には天然歯のセメント - エナメル境（CEJ）から 3 mm 根尖側，水平的には天然歯の唇側・頰側から 1 mm 以上口蓋・舌側を目安として，上部構造の歯冠形態（歯頸線の位置），歯肉の厚さ，上部構造（アバットメント）の歯肉縁下のカントゥアの形態を配慮して設定する（**図 22**）．

3）インプラント体の長さの選択

下顎管や上顎洞などの解剖学的な制約を考慮してインプラント体を選択する．特に下顎管上

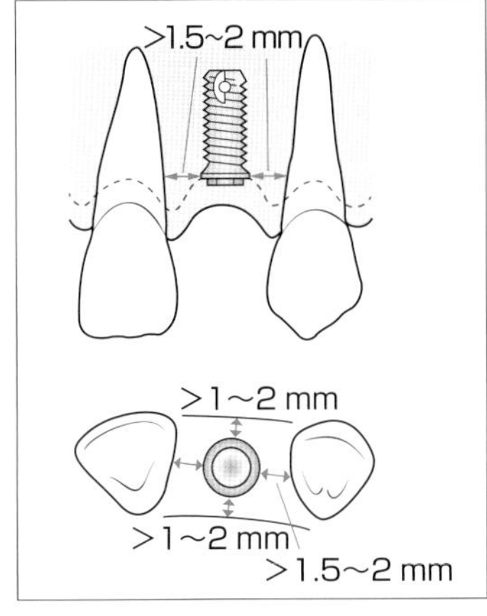

図 20　インプラント体の近遠心的および頰舌的位置（細川，正木，2023[50]）

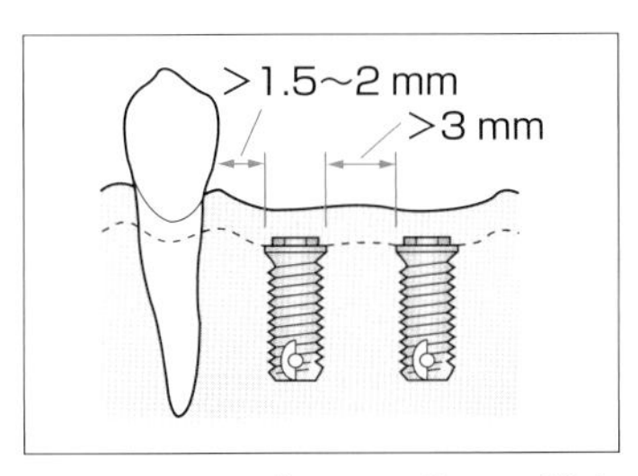

図 21　インプラント体と天然歯およびインプラント体間の距離（細川，正木，2023[50]）

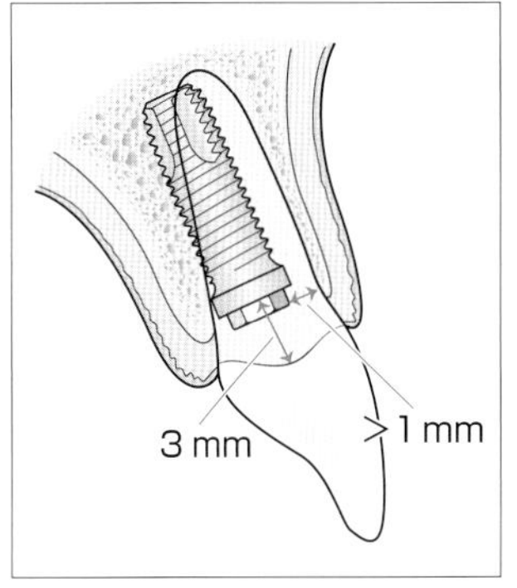

図 22　上顎前歯部における審美的なインプラント体の位置（細川，正木，2023[50]）

のインプラント体埋入では十分な安全域を確保する必要がある．たとえば，下顎臼歯部で歯槽骨頂から下顎管上縁まで 13 mm であれば，3 mm の安全域を確保して 10 mm のインプラント体が選択できる．通常のドリルはインプラント体の長さより 1 mm ほど深く入るので，十分注意する．8 mm 以下の長さのインプラント体，いわゆるショートインプラントに関して良好な治療成績が報告されており，選択肢の一つである．長すぎるインプラント体は埋入手術を難しくし，皮質骨の穿孔や火傷などのリスクが高くなるので，15 mm を超えるインプラント体の選択は慎重に行う．

4）インプラント体の直径の選択

インプラント体の直径は 3 ～ 3.5 mm 程度のものをナロータイプ，4 mm 程度のものをレギュラータイプ，5 mm 前後またはそれ以上のものをワイドタイプと分類する．インプラント体の直径は，推測される咬合力の大きさ，埋入部の骨幅，欠損部の近遠心径を考慮して決定する．インプラント体やアバットメントの破折を予防するためには，推測される咬合力に耐えられる直径を選択する必要がある．咬合力による影響の推測は難しいが，たとえば大臼歯部にナロータイプのインプラント体を選択すると破折リスクは高くなる．

成功の基準を満たしているインプラントであっても，インプラントプラットフォームの周囲に幅 1 ～ 1.3 mm 程度の漏斗状の骨吸収を生じる．したがって，この骨吸収を考慮したインプラント直径の選択が必要である．たとえば直径 4 mm のインプラント体を埋入するには 6 mm 以上の骨幅が必要である．骨幅が不十分な場合は，インプラント体の直径を小さくするか骨造成により骨幅を増大する．欠損部の近遠心径は，インプラント体の直径の重要な決定因子である．インプラント体と天然歯の間は 1.5 ～ 2 mm 以上，インプラント体とインプラント体は 3 mm 以上離す必要がある．欠損部の十分な近遠心径が確保できない場合は，ナロータイプのインプラント体を選択するか矯正治療によって近遠心径を確保する．

5）インプラント体形状の選択

インプラント体の形状は，軸面が平行なパラレルタイプと先端が先細りのテーパードタイプの 2 種類に分類される．パラレルタイプは埋入深度の調整が容易で比較的少ない種類のドリルでさまざまなサイズのインプラントの埋入窩の形成が完了できる．テーパードタイプはインプラント体の直径と長さに応じた専用のドリルが必要であり，埋入窩の形成に多くの種類のドリルを準備する必要がある．また，インプラント体の形態に適合する埋入窩を形成する必要があり，深度の調整が難しい．テーパードタイプの埋入時には周囲の骨を圧迫するので，軟らかい骨に埋入する場合でも強固な初期固定が得られるが，硬い骨では過度な埋入トルクによる周囲骨の圧迫壊死に注意が必要である．

6）インプラント体のプラットフォーム形態の選択（インプラント－アバットメント連結機構）

インプラント－アバットメント連結機構は，エクスターナルコネクション，インターナルコネクションの 2 種に大別される（**図 23**）．

インターナルコネクションはエクスターナルコネクションと比較して，強い回転防止機構があり，単独歯インプラントの補綴に適している．着脱方向の規制が強いのでインプラントレベルで多数のインプラントを連結する上部構造には不向きである．インターナルコネクションは，インプラント－アバットメント接合部が面対面で構成されているバットジョイントと，斜面で構成されているテーパージョイントに分類される．テーパージョイントは，インプラント－アバットメントの接合部が密着するので，微少漏洩に対する封鎖性が優れている．インプラント

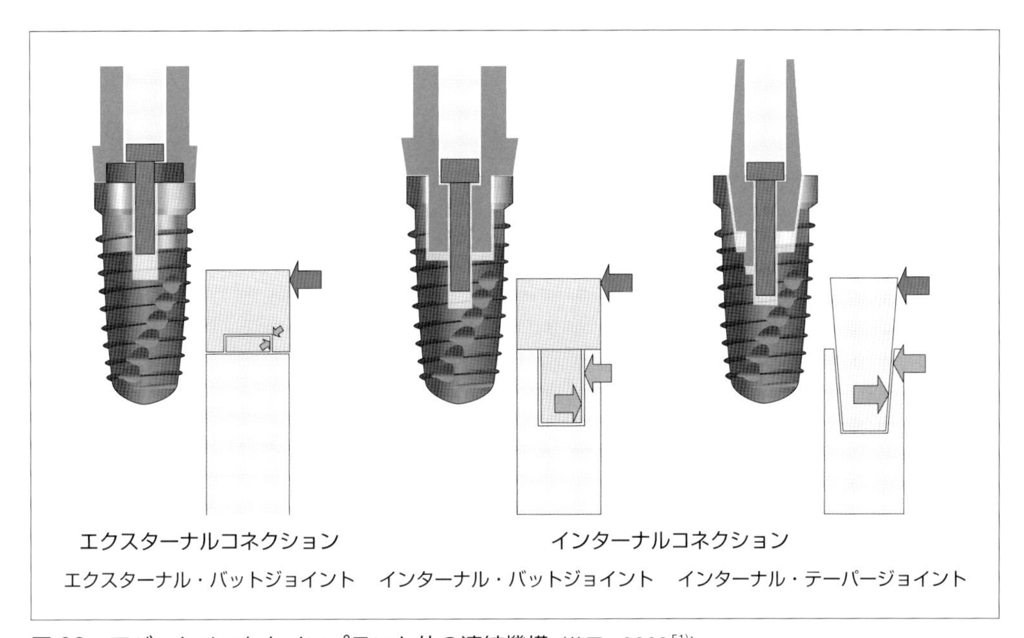

図 23　アバットメントとインプラント体の連結機構（萩原，2023[51]）
アバットメントの連結機構により離脱・動揺・回転に対する抵抗性が異なる．上部構造に加わる側方力（青色の矢印）に対する，アバットメントの抵抗性を灰色の矢印で示す．

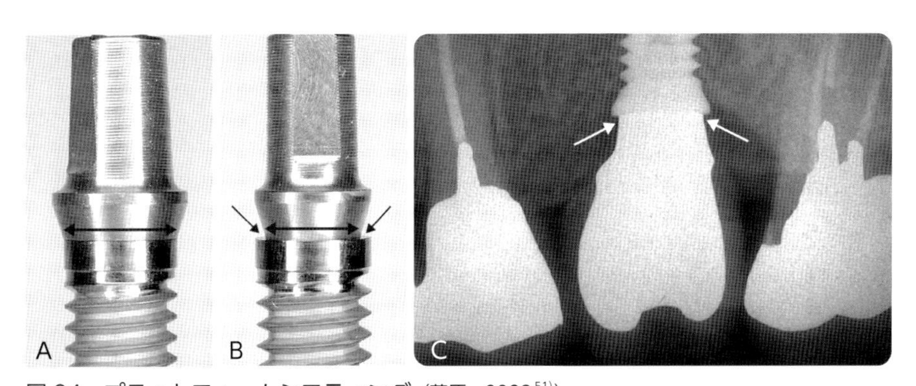

図 24　プラットフォームシフティング（萩原，2023[51]）
A：プラットフォームと同じ径のアバットメントを装着した状態．B：プラットフォームに対し，径の小さなアバットメントを装着した状態．全周にわたり 0.5 mm の水平的距離が生じることで周囲骨の吸収を予防する．C：上顎大臼歯部のプラットフォームシフティング．インプラント体とアバットメント径の差による水平的距離が観察できる．

体のプラットフォームより小さい直径のアバットメントを装着することをプラットフォームシフティング（プラットフォームスイッチング）と呼ぶ（**図 24**）．プラットフォームシフティングは，インプラント体頸部周囲の骨吸収抑制に有効であることが報告されている．

5. インプラント治療開始前の歯科治療

インプラント治療は一口腔単位の歯科治療の中では最終ステップである補綴治療の一つである．インプラント治療が従来の補綴治療と異なる点は，不可逆的な外科手術を伴うことであり，治療後に良好な状態を維持するためには，残存歯，歯周組織，および咬合状態を長期的に安定させることが重要である．そのため，インプラント治療を開始する前に，歯周治療により歯周組織の状態を改善し，必要に応じて歯内治療や抜歯を行い，咬合に問題がある場合は歯冠補綴治療，あるいは矯正治療などにより咬合状態を安定させる必要がある．

1）歯周組織の評価と治療

最初に歯周組織検査およびエックス線検査を行い，一口腔単位での歯周病罹患状態を把握する．歯周組織検査として，口腔清掃状態を評価するO'Learyのプラークコントロールレコード（PCR），歯周組織の炎症状態を評価する歯肉炎指数（GI），プロービング深さ（PPD），プロービング時の出血（BOP）などのパラメータを検査し，歯周病のチャートを作成する．歯周病の進行状態を把握するため臨床的アタッチメントレベル（CAL）の測定，咬合関係，歯の動揺度も測定しておく．保存不可能な歯は早期に抜歯する．

患者自身による口腔清掃状態がPCR値20%以下（プラーク付着歯面が20%以下）になるよう口腔衛生指導を行う．歯周基本治療を行っても歯周組織の状態が改善しない場合は歯周外科治療を行う．さらにインプラント治療を行う前に，歯周治療の結果を判定するために再評価を行い，個々の歯の抜歯の可否を再度検討し，欠損歯数を確定する．

インプラント治療の長期的成功には患者自身のセルフケアが非常に重要である．口腔衛生管理に協力的でない患者に対しては，治療に対する協力（アドヒアランス）が得られるよう努める必要がある．協力が得られない場合にはインプラント治療を断念しなければならない．

2）歯髄および根尖周囲歯周組織の評価と治療

インプラント治療に先立ち，歯髄疾患および根尖性歯周炎の治療を完了する．歯内治療の必要がある歯を放置してインプラント治療を行うと，治療後早期に再治療が必要になったり，新たな歯の欠損が生じたりする．またインプラント体に接近して根尖病巣が存在すると，インプラント体に感染が波及し，撤去を余儀なくされることもある．そのため，インプラント治療前に歯内治療，外科的病巣切除あるいは抜歯を行い，根尖病巣を除去しておく必要がある．

3）残存歯，補綴装置および歯列の評価と治療

残存歯および修復物や補綴装置を評価し（上下顎の咬合関係，歯の形態異常，歯の移動，辺縁隆線の調和，咬合彎曲など），異常が認められる場合は治療を行う．機能的咬合検査として咬頭嵌合位（中心咬合位）に至る閉口運動，偏心運動時の早期接触の有無，側方・前方運動時の干渉をチェックする．歯の欠損により隣在歯や対合歯の移動が起こり，咬合の不調和が生じていることがある．また欠損部位以外にも歯列不正があると，インプラント治療のみでは良好な咬合状態が回復できないことがある．そのような場合には，すでに装着されている歯冠補綴装置やブリッジを，インプラント治療部位と調和するように再製作する．また，歯の位置異常があれば矯正治療の併用を検討する場合もある．残存歯および補綴装置の評価にはセットアップモデルが有用である．患者にセットアップモデルを用いて歯列と咬合の現状と問題点を説明し，インプラント治療部位を含めて一口腔単位で補綴治療を決定する．インプラント治療部位以外の補綴治療はインプラント治療前あるいは治療中に行い，最終上部構造の装着に合わせて完了させるとよい．

9章　インフォームド・コンセント

インプラント治療はほかの歯科治療に比較して，外科手術を行うこと，治療費用が高額であること，治療期間が長くなることなどから，より丁寧なインフォームド・コンセントが必要である．患者とのトラブルの多くは不適切なインフォームド・コンセントが原因となっている．インフォームド・コンセントは治療前，検査，治療計画，埋入手術，上部構造装着，メインテナンスの各ステップで行い，さらに，必要があると考えられた場合には随時行う．インフォームド・コンセントは患者の主訴，口腔の状態，全身状態などを把握して総合的に診断し，治療に関してのすべての情報を整理し，わかりやすく説明し，患者の理解，納得，同意を得ることで成立する．インフォームド・コンセントには最低限必要な項目があり（**表 13**），これらを説明しないでトラブルが生じた場合，その責任は歯科医師側にある．また，インフォームド・コンセントは書面を用いて説明し，患者の理解を深めるとともに，確認を得ることも必要である．そのため各医療施設では治療の説明書と同意書を作成しておく必要がある（**図 25**）．

表 13　インフォームド・コンセントに最低限必要な事項（インプラント治療において説明すべき事項）

- インプラント治療と可撤性義歯，ブリッジ，接着ブリッジ，歯の移植や再植などの他の治療法との比較や利点，欠点
- 残存率（他の治療法との比較を含め）
- 治療期間
- 治療にかかる費用
- 麻酔法，痛みや手術後の状態と管理方法
- 治療の方法やそれに伴う骨移植，軟組織移植などの処置の必要性や侵襲
- 生体材料の安全性やリスク
- 経過不良のリスクや併発症
- 経過不良の場合のリカバリー法と回復後の状態
- メインテナンス法と費用
- 検査資料や口腔内写真，CT などの画像の管理と利用

同意書

年　月　日

○○歯科医院長　殿

本人　　　　印

親権者　　　　印

住所
電話

このたび、貴院においてインプラント治療を受けるにあたり、説明文書を読み、また担当医により口頭で以下の点について説明を受けました。

1. インプラントとは何かについて
2. インプラント治療以外の治療法と相違について
3. インプラント治療の問題点、危険性
4. インプラント治療の費用と治療期間
5. インプラント治療後のメインテナンス
6. 治療の記録を研究と教育の目的で使用すること

上記の点について充分に理解しましたので、貴医院においてインプラント治療を受けることを承諾いたします。治療中に緊急の処置を行う必要が生じた場合には、適宜処置されることについても同意いたします。

****

私はインプラント治療について、患者さんに充分に説明いたしました。

年　月　日

○○歯科医院

担当医：＿＿＿＿＿＿＿＿　印

① 医師控

インプラント治療についての説明ならびに同意書

このたびインプラント治療を実施するにあたり、その目的、方法、費用、結果ならびに合併症等について十分な説明を行いました。
なお、実施中に緊急の処置をする必要が生じた場合には、適宜処置することも併せて説明いたしました。

年　月　日　インプラントセンター長＿＿＿＿＿＿　担当医-1＿＿＿＿＿＿

担当医-2＿＿＿＿＿＿

○○歯科医院長　殿

このたび私がインプラント治療を依頼するにあたり、上記担当歯科医師よりその目的、方法、費用、結果ならびに合併症等に関し十分な説明を受け了解をしましたのでその実施について同意します。
なお、実施中に緊急の処置をする必要が生じた場合には、適宜処置されることについても同意いたしました。

年　月　日

住所＿＿＿＿＿＿

患者氏名＿＿＿＿＿＿㊞　保護者または保証人氏名＿＿＿＿＿＿㊞　続柄（　　）

（治療計画）

カルテ No.　－		
予定治療期間：　年　月　日　から　年　月　日まで		
治療計画概要	歯を2本抜いて義歯装着，骨をたす手術を行い，骨が落ち着いたら，インプラント埋入を行う．	
	上部構造設計　着脱（あり・なし）、クラウン、ブリッジ、義歯	
治療内容		**概算費用**
放射線検査診断料	①	
尿、血液、心電図、呼吸機能等検査診断料	②	
総合診断料	③	
ステント製作費	④	
埋入手術料	⑤	3本
暫間インプラント	⑥	
顎堤形成・骨移植　上顎洞底挙上術	⑦	上顎洞挙上術：　骨採取：
使用器材	⑧	PRP：　人工骨（β-TCP）：
投薬・その他	⑨	
麻酔料（静脈麻酔）	⑩	
入院料	⑪	
診療・埋入概算合計		A　①～⑪
2次手術（手技料　＋材料）×3本	⑫	B
暫間修復　）×3本	⑬	
補綴治療費　メタルセラミッククラウン	⑭	
	⑮	
	⑯	
補綴費用概算合計		C　⑬～⑯
費用概算合計：		A＋B＋C＝　　円

診療内容により費用が途中で変更となることがありますが、この場合、事前に担当医がご説明いたします。
なお、消費税は別途請求させていただきます。

○○歯科医院

図 25　治療の説明書と同意書の一例

具体的には，初診時や検査時に採得した検査結果や口腔内写真，エックス線画像などを用いて病状や治療方針，予後などを正確に伝えるだけでなく，患者の価値観，社会性，理解度を考慮したわかりやすい説明が求められる．また，インプラント治療だけでなく，ほかの治療法との比較やそれぞれの利点・欠点についても公平に伝えなければならない．インプラントの残存率や治療計画については，全身状態，欠損部位や欠損歯数，咬合状態，硬組織や軟組織の状態，パラファンクションの有無などを考慮しながら総合的に説明する必要があり，治療期間や費用についても治療前に伝えておくことが重要である．一方，インプラント体埋入に関する施術方法，骨移植や軟組織移植などの必要性，術後の状態や管理方法，生体材料の安全性やリスクに加え，インプラント手術に関連して発生する事象と対応（**p.83 参照**），また，インプラント補綴に関連して発生する事象や治療後に発生する事象とそれぞれの対応（**p.86 参照**）についても説明する必要がある．また，長期間良好に機能させるためにはセルフケアやメインテナンスが必要なこと，さらに，定期的なメインテナンスを受けていたとしても不具合が生じる可能性があることを伝えておくことも重要である．不具合が生じた場合，インプラント体の撤去を含めてさまざまな対応が必要となることやインプラント体撤去後の再補綴治療として，状況によってはインプラント体の再埋入ができない可能性も説明しておくことが求められる．

10章 麻酔と全身管理

1. 麻酔法の種類と適応

1）局所麻酔

(1) 表面麻酔

表面麻酔は，局所麻酔の注射針刺入時の疼痛緩和に有効で，注射時の血管迷走神経反射の予防にも効果がある．ゼリー，軟膏，スプレーなどの製剤があるが，いずれの薬剤においても，塗布または噴霧後，約２～３分経過し表面麻酔の効果発現を確認した後に針刺入を行う．

(2) 浸潤麻酔

インプラント手術において最も多く用いられる局所麻酔法である．粘膜下麻酔，傍骨膜麻酔，骨膜下麻酔などがある．手術部位への局所麻酔薬注入は強圧を避け，無痛的にゆっくりと注入することが肝心である．骨を対象としたインプラント手術では，骨膜下麻酔が有効であるが，はじめから骨膜下へ局所麻酔薬注入を行うと激しい疼痛を生じるため，まず粘膜下あるいは傍骨膜に局所麻酔薬を投与し，その後骨膜下麻酔を行う．また注射後は手術部位への局所麻酔薬の浸透と麻酔効果，また局所麻酔カートリッジに含まれる血管収縮薬の作用などを考慮し，少なくとも５分程度経過した後に処置を開始する．

(3) 伝達麻酔

浸潤麻酔では十分な麻酔効果が得られない場合や手術部位が広範囲に及ぶ場合などに応用される．インプラント手術時の伝達麻酔の応用は，確実な麻酔効果が期待できる一方，神経損傷の危険性や知覚鈍麻の延長などの理由からその実施について否定的な意見もある．しかし少量の麻酔薬で広範囲の麻酔効果を得ることが可能であり，浸潤麻酔と比べ長時間の麻酔効果が得られることは，比較的長時間を必要とするインプラント手術にとって有効な麻酔方法である．

(4) 術後鎮痛のための局所麻酔

インプラント手術後の鎮痛法として，浸潤麻酔あるいは伝達麻酔の施行は有効な方法である．患者の疼痛に対する感受性や処置内容を考慮し，局所麻酔と経口薬剤（鎮痛薬）を組み合わせることにより適切な術後鎮痛が可能となる．

2）精神鎮静法

インプラント手術に対する恐怖心や不安・緊張感を最小限に抑制し，円滑・快適かつ安全に治療を施行するために，薬物を使用して患者管理を行う方法である．薬物の投与経路によって，笑気吸入鎮静法と静脈内鎮静法がある．精神鎮静法はインプラント手術時における不安，緊張の軽減のみならず，異常絞扼反射の抑制や有病者に対する全身管理法としても有効である．

(1) 笑気吸入鎮静法

一般に30%以下の亜酸化窒素（笑気）を，鼻マスクまたはカニューレから吸入させ，鎮静状態を得る方法である．中耳炎など体内に閉鎖腔をもつ患者には禁忌である．

(2) 静脈内鎮静法[52)]

鎮静作用を有する薬剤を経静脈的に投与し，インプラント手術中の鎮静状態を得る方法である（**表14，15**）．投与薬剤として，ベンゾジアゼピン系薬剤のミダゾラムと全身麻酔薬のプロポフォールが多く用いられている．

静脈内鎮静法は，笑気吸入鎮静法に比べ確実な鎮静効果が得られることに加え，健忘効果も

表 14　インプラント手術における静脈内鎮静法の適応

- ●インプラント手術に対する不安・緊張の緩和
- ●血管迷走神経反射や過換気症候群の予防・抑制
- ●異常絞扼反射を有する患者
- ●術中の健忘効果を期待する場合
- ●長時間の治療
- ●侵襲の大きい処置
- ●全身的な疾患を有する患者

表 15　全身疾患を有する患者に対する静脈内鎮静法の有用性

- ●循環器疾患
  - ・異常な血圧上昇の抑制
  - ・虚血性心疾患の増悪を予防
  - ・ストレスによる不整脈の発生・増悪を抑制
- ●代謝・内分泌疾患
  - ・循環器合併症の割合が高い糖尿病患者
  - ・甲状腺機能亢進症患者の循環亢進抑制
- ●呼吸器疾患
  - ・ストレスが原因となる喘息発作発現の予防
- ●神経疾患
  - ・てんかん発作の予防・抑制

期待できることから，インプラント手術にとって有効な管理方法であるが，呼吸・循環に及ぼす影響も大きいため，実施中の全身モニタリングは必須である．また，その実施は手術中の患者管理に専任する歯科医師（医師）によって行われるべきである．静脈内鎮静法下での処置時間は，2 時間以内が望ましいとされている．

静脈内鎮静法でのインプラント手術では，舌根沈下による気道閉塞，過度の開口や舌圧排による気道狭窄，誤嚥などに注意しなければならない．

3）全身麻酔

侵襲度の大きな処置や長時間に及ぶインプラント手術では，全身麻酔による患者管理が有効となる．全身麻酔によるインプラント手術では，術前の検査や患者評価，適応の判断に加え，モニタリング装置や麻酔設備，スタッフの充実，術後のフォローアップ体制の構築などが必要となる．

2. 麻酔上のリスクの評価[53)]

1）局所的リスクの評価

局所麻酔の実施にあたっては，抜歯や加齢，骨粗鬆症の存在などによる顎骨の変化，無歯顎や臼歯部の欠損による下顎管，オトガイ孔の位置の変化，歯槽頂と上顎洞底の接近などについて触診やエックス線画像，CT 画像などで確認する必要がある．

2）全身的なリスクの評価

インプラント治療の対象となる患者は，比較的年齢層が高いことから基礎疾患を合併する割合が高く，安全なインプラント治療を行うためには患者のもつ基礎疾患とインプラント治療における注意点について知っておくことが不可欠である．

(1) 局所麻酔薬の使用

現在，インプラント治療時の局所麻酔薬として，主にアドレナリン含有リドカイン製剤とフェリプレシン含有プロピトカイン製剤が用いられているが，その選択と使用にあたっては，

表16　局所麻酔薬使用上の注意

製　剤	アドレナリン含有リドカイン製剤	フェリプレシン含有プロピトカイン製剤
商品例	歯科用キシロカイン™カートリッジ オーラ注™歯科用カートリッジ キシレステシン™A 注射液　など	歯科用シタネスト－オクタプレシン™ カートリッジ
禁　忌	本剤の成分またはアミド型局所麻酔薬に対し過敏症の既往歴のある患者	1）本剤の成分またはアミド型局所麻酔薬に対し過敏症の既往歴のある患者 2）メトヘモグロビン血症のある患者
アドレナリンの使用に注意すべき疾患※	高血圧，動脈硬化，心不全，甲状腺機能亢進，糖尿病のある患者および血管攣縮の既往のある患者	
特定の背景を有する患者に関する注意	1）高齢者または全身状態が不良な患者（生理機能の低下により麻酔に対する忍容性が低下していることがある） 2）心刺激伝導障害のある患者（症状を悪化させることがある） 3）重症の肝機能障害または腎機能障害のある患者（中毒症状が発現しやすくなる）	

※治療上やむを得ないと判断される場合を除き投与しないこと．症状が悪化する恐れがある．

それぞれの製剤の禁忌や使用上の注意について理解しておく必要がある（**表16**）．

また，局所麻酔に関する過去の不快症状やアレルギーの有無などの確認は必須である．局所麻酔薬によるアレルギー反応の発現頻度はきわめて低いとされているが，いったん生じると重篤な症状を呈することもあり，特にアナフィラキシー反応の発現は生命を脅かすことにもなりかねない．

(2) 基礎疾患を有する患者への局所麻酔使用の注意点

a）高血圧症

血圧のコントロール状態を確認する．収縮期血圧140 mmHg以下かつ拡張期血圧90 mmHg以下でコントロールが良好な高血圧症では，1回の投与量は1/80,000アドレナリン含有2%リドカイン1.8 mLカートリッジ2本（3.6 mL）に留める[54]．

b）虚血性心疾患

日常生活に著しい制限がない状態であれば，高血圧症と同様1/80,000アドレナリン含有2%リドカイン1.8 mLカートリッジ2本（3.6 mL）程度までの使用は可能である．フェリプレシンはアドレナリンと比較し循環動態への影響は小さく安全性が高いとされているが，大量投与や重度な冠動脈狭窄患者への使用は心筋虚血を生じる可能性を否定できない．0.03 U/mLフェリプレシン含有3%プロピトカイン（1.8 mL）の使用は2本以内が臨床的に安全に使用できる目安とされている．

c）心房細動

精神的緊張も含め脈拍が上昇するような状態は避ける必要があり，アドレナリンの使用は慎重に行う必要がある．高血圧症，虚血性心疾患などの基礎疾患を合併する場合，その使用は40 μg程度に制限される．フェリプレシンの使用においても6.0 mLを超えないようにする．

d）糖尿病

アドレナリン含有局所麻酔薬は，血糖値を上昇させる．添付文書では糖尿病患者への使用は原則禁忌であり，特にコントロール不良の患者では，その使用量を十分に検討する．フェリプレシン含有局所麻酔薬の使用は通常量では問題とならない．また糖尿病患者では麻酔部に潰瘍を生じることがあり，刺入点は必要最低限に留める注意が必要である．

表 17　アドレナリンとフェリプレシンの使い分け（北川，2005[55]より改変）

目　的		アドレナリン	フェリプレシン
心拍数	頻脈を避けたい	×	○
	徐脈を避けたい	○ あるいは △	× あるいは △
血　圧	上昇を避けたい	△	△
	低下を避けたい	△	×
心機能	抑制を避けたい	△	×
	亢進を避けたい	×	○
心筋虚血の増悪を避けたい		△	△

○：通常量は使用可能である，△：症例により使用を検討する，×：使用を避けることが望ましい

e）甲状腺機能亢進症

疾患のコントロール状態が良好であれば1/80,000 アドレナリン含有 2%リドカイン 1.8 mL カートリッジ 2 本（3.6 mL）であれば問題となることは少ない．重篤な症状あるいは寛解が不十分な場合はアドレナリンの使用は避けることが望ましい．コントロール不良な症例では，循環動態の亢進を避けるためにもフェリプレシン含有局所麻酔薬の使用を考慮する．

f）気管支喘息

気管支拡張作用を有するアドレナリンの使用は基本的には問題とならないが，喘息治療薬としてテオフィリンやβ刺激薬を使用している場合は，アドレナリンの使用により頻脈や不整脈が生じることがある．このような症例ではフェリプレシン含有の局所麻酔薬を使用したほうが安全である（**表 17**）．

局所麻酔薬の使用を必要最小限に留めることは必要であるが，不完全な局所麻酔による疼痛は，全身的偶発症を誘発させる原因ともなりうる．安全なインプラント治療を遂行するため，確実な除痛を得るための適切な局所麻酔薬の選択と投与量の決定が重要である．また，静脈内鎮静法の応用は，局所麻酔による併発症発現の抑制に有効である．

(3) 全身状態の評価

全身状態の評価にあたっては，問診票の活用や適切な医療面接により既往歴，アレルギー，麻酔歴，薬物服用状況などについて確認するとともに，息切れや動悸，胸痛の有無など日常生活からの情報収集も重要である．必要に応じて術前臨床検査や医科への対診，照会を行う．

11 章　インプラント体埋入手術と周術期管理

インプラント体埋入手術当日の処置は**図 26** に示すような手順で実施される.

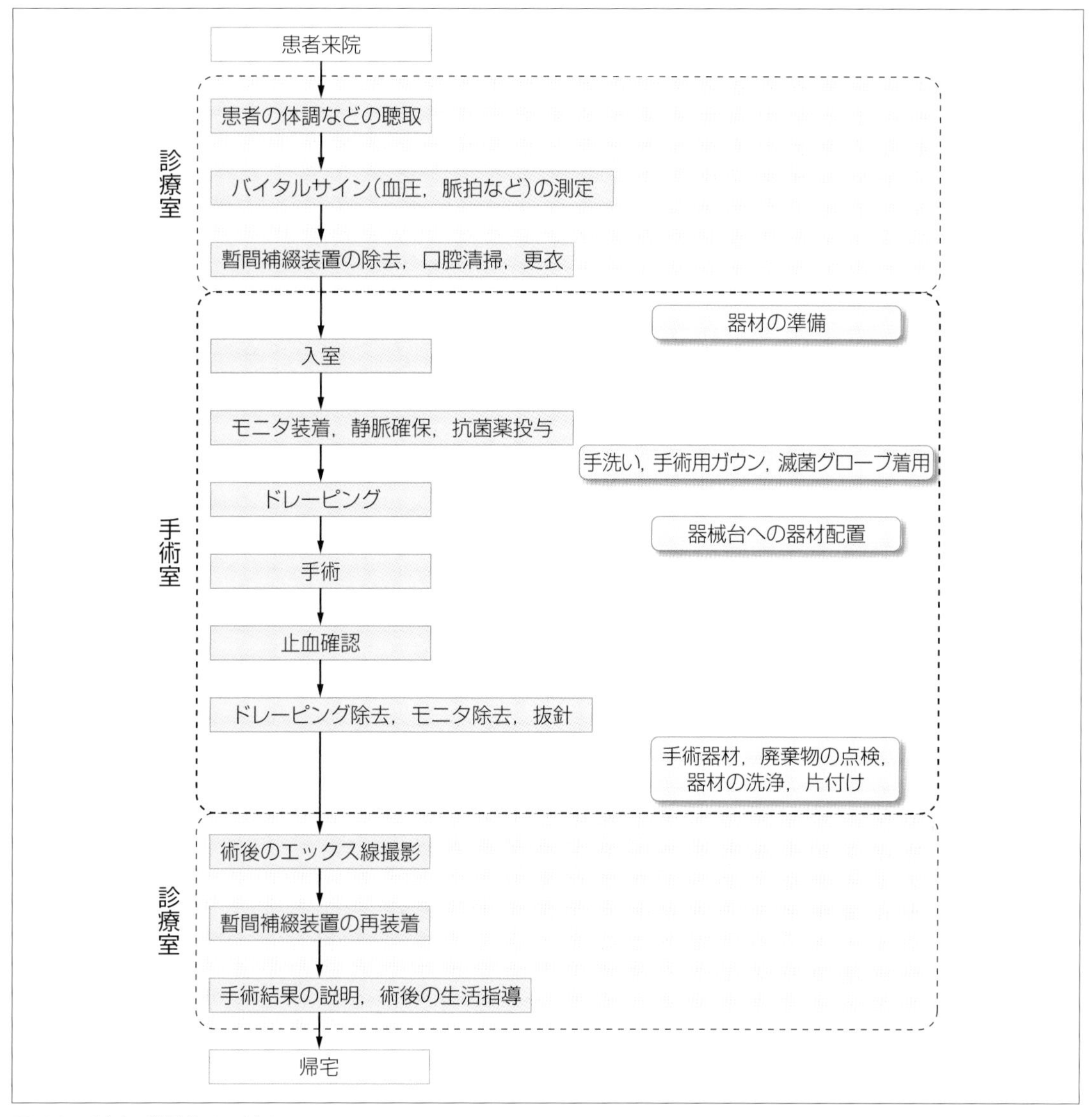

図 26　外来手術当日の流れ

1．術前準備

インプラント手術で重要なことの一つは感染防御であり，患者の免疫力を高めること（体調の維持管理），器械器具・器材の滅菌，手術操作ならびに術後管理が大切である.

1）器械器具および材料の準備

(1) 手術環境の整備

手術は清潔で環境が安定した状態の下，口腔外科手術に準じた清潔域・不潔域を理解したうえで行う．手術台や手術台周囲は事前に洗浄，消毒を行う.

(2) 器械器具の準備

器械器具は高圧蒸気滅菌（オートクレーブ）して準備する．生体内にインプラントを適用する場合，クラス B の滅菌を行うよう勧告されている．滅菌済み器材（ディスポーザブル製品など）は，期限切れになっていないか，在庫の不足がないかを確認し，事前に必要数を用意する．切削器具の使用可能回数はシステムによって異なるが，単回使用のドリルが推奨される．インプラント体は再滅菌，再使用をしてはならない．

2）術前処置

①事前に口腔内全体にわたる歯周組織の機械的清掃を行う．

②サージカルガイドプレートは試適後，ガス滅菌か薬液消毒し保管しておく．

3）術前管理

①バイタルサインを測定し，健康状態を把握する．

②常用薬は必要に応じて服用する．

③手術部位感染（surgical site infection：SSI）予防のため抗菌薬を術前 1 時間前に投与することが推奨される（予防抗菌薬投与）[56, 57]．

4）手術室

感染予防の面から，清潔域を区切った手術室，または手術室に準じた環境を有することが望ましい．

5）術野の消毒と手術衣の着用

①患者は可能なかぎり化粧を落とした後，洗顔あるいは蒸しタオルで清拭する．

②義歯や暫間補綴装置を外し，口腔内を薬液消毒（塩化ベンザルコニウム，ポビドンヨードなど）し，歯ブラシなどで清掃する．術直前の清掃・消毒は細菌数を一時的に減少させるのに効果的である．

③患者は術衣に着替え（清潔で身体を圧迫しないもので，心電図などのモニタを装着しやすいもの），手術室に入室する．

④術者は手洗い後，滅菌した手術用ガウンと滅菌グローブを装着する．

⑤顔面を薬液消毒（塩化ベンザルコニウム，グルコン酸クロルヘキシジン，ポビドンヨードなど）する．

⑥ドレーピング：顔面および全身に滅菌した覆布をかける．

2. 麻酔（p.49 参照）

1）全身管理（術中管理）

医療スタッフは異常事態の発生時，迅速に対応できるように備えておく．患者の全身状態を把握するために，生体情報モニタを装着し，バイタルサインを測定する．血圧，脈拍，動脈血酸素飽和度（SpO_2），心電図を連続的に測定し，全身状態の異常がないか監視する．

2）局所麻酔

通常，歯科用カートリッジ式局所麻酔薬を使用する．手術の所要時間を考慮して，術中，無痛で処理ができるよう十分な量の薬液を注射する．術野が広範囲で長時間に及ぶ場合には回数を分けて投与し，一度に多量の薬液を投与することは避ける．

3）精神鎮静法

手術時間，侵襲の程度，患者の全身状態，心理状態，咽頭反射などを勘案して，平穏な手術が行えるよう局所麻酔と併用する．

3. インプラント体埋入手術

1）清潔域の管理

①清潔域と不潔域の概念について知り，両者の区別を明確にして手術を行う．

②清潔域とは，滅菌された器材と滅菌レベルの着衣や覆布などを身に付けた術者と患者の領域であり,滅菌ガウンと滅菌グローブの装着で触れることができる場所と器材のことをさす．

③術者と直接介助者は，清潔域で滅菌器材を取り扱う．

④間接介助者は，滅菌グローブで触れることのできない器材を取り扱う．

2）切開・剝離

(1) 切開線

歯槽頂切開と口腔前庭部切開がある．歯槽頂切開は切開縫合の手技が容易であるが，縫合部がインプラント体直上にくるため，カバースクリューなどが露出しやすく，注意して縫合する必要がある．口腔前庭部切開は埋入部を完全に被覆できるが手術侵襲が大きい．

(2) 粘膜骨膜弁の形成

埋入部の粘膜を切開・剝離し，粘膜骨膜弁を形成した後，埋入部の骨を露出させてからインプラント体を埋入する．埋入後は弁を戻し縫合する．多くの場合に用いられる術式である．

(3) フラップレス手術とガイデッドサージェリー

フラップレス手術とは，粘膜の切開・剝離を行わないでインプラント体を埋入する術式で，生体への侵襲が少なく，手術時間が短縮される．しかし，埋入部周囲の位置関係，インプラント体の埋入深度が確認できないため，フラップレス手術はガイデッドサージェリーとして行うことが必須である．3DのCT画像上で手術シミュレーションを行い，埋入部位，埋入方向と深度のデータを組み入れたサージカルガイドプレートを用いる．

3）埋入窩の形成

埋入窩の形成は各インプラントシステムの指示に沿って行うが，一般的に小さな径のドリルから始め，順次交換しながら最終形成まで行う．サージカルガイドプレートを用いると埋入位置・方向と深度が規定される．また，形成の際は熱傷を防止するため，鋭利なドリルを用い，滅菌生理食塩液の十分な注水下で行う．

(1) 埋入位置の決定

比較的小さなラウンドバーで埋入位置の皮質骨を穿孔させる．なお，インプラント体の埋入位置の決定方法は，解剖学的要因などを参考に設定する（p.43「インプラント体埋入位置の決定」の項を参照）．

(2) 埋入方向の決定

ツイストドリル（パイロットドリルと呼ぶこともある）を用いて予定の埋入方向に合わせて埋入窩を形成する．

(3) 埋入深度の決定

インプラント体の長径に合わせて埋入窩を形成する．インプラント体よりも長径が長いドリルを使うことが多いので，事故防止のためにドリルマーカーで切削深度を確認するか，あるいはストッパーを装着する．

(4) 埋入径の決定

埋入するインプラント体の径に合わせて拡大していく．

(5) 埋入窩の最終形成

各インプラントシステムの指示に沿って埋入窩の最終形成を行う．セルフタップのものが多いが，硬い骨の場合はタップの形成が必要である．

4) インプラント体の埋入

インプラント体に異物が付着するとオッセオインテグレーションが阻害されるため，器具やグローブで触れてはならない．やむを得ずインプラント体を把持する必要が生じた場合には，専用のチタン製ピンセットを使用する．専用の器具を用いて適切なトルクで，埋入窩の方向に沿って埋入する．各システムの推奨深度まで埋入後，カバースクリューを装着する．

5) 縫合

縫合前には手術部全体を生理食塩液で洗浄し，切削片などが残存していないことを確認する．縫合糸には絹糸，ナイロン糸などがあるが，ナイロン糸のようなモノフィラメント糸は食渣などが付着しにくい．縫合は単純縫合，もしくは創縁を確実に密着できる垂直マットレス縫合を用いる．また，必要に応じて減張切開を併用する．

6) 術後管理

①口腔外科小手術の術後管理に準じる．
②特に感染防止に努める．
③含嗽剤の使用と消炎鎮痛薬の服用を行う．抗菌薬に関しては AMR（薬剤耐性）を考慮し適切に行う．
④創面に直接影響する義歯や暫間補綴装置の使用には十分な配慮が必要である．特に可撤性義歯は埋入部位には直接接触しないようにする．
⑤使用した器材，ガーゼや針などを点検する．

4. 二次手術

2 回法インプラントでは二次手術が必要である．

1) 切開・剝離

(1) 切開線

主に歯槽頂切開で行う．場合によっては粘膜のパンチ，すなわちインプラント体直上の粘膜だけを切除することもある．

(2) 剝離

基本的にはインプラント体のプラットフォーム周囲を小さく剝離することで，ヒーリングアバットメントの装着は可能である．何らかの軟組織の処理を行うときは大きく粘膜骨膜弁を形成する場合もある．

2) カバースクリューの除去

カバースクリュー上に骨が形成されている場合は，インプラント体を傷つけないようにチゼルあるいは専用器具で骨を除去してから，各インプラントシステムのドライバーを用いてカバースクリューを除去する．

3) インプラント体周囲の処理

アバットメントを連結するために障害となる周囲骨をチゼルあるいは専用器具で削除する．インプラント体とアバットメントの適合状態に注意する．

4) アバットメントの連結

各インプラントシステムに従ってヒーリングアバットメントなどを連結する．

5）縫合

必要に応じて周囲粘膜を形成してから手術部全体を洗浄し縫合する．

6）術後の検査

必要に応じてエックス線検査でインプラント体とアバットメントの適合状態を確認する．

7）術後管理

①インプラント体埋入手術の術後管理に準じる．

②特に感染防止に努める．

③含嗽剤の使用と消炎鎮痛薬の服用を行う．抗菌薬に関してはAMR（薬剤耐性）を考慮し適切に行う．

④創面に直接影響する義歯や暫間補綴装置の使用には十分な配慮が必要である．

5．インプラント体埋入手術，二次手術に対する術後疼痛管理[58, 59]

基本的には非オピオイド鎮痛薬〔非ステロイド性消炎鎮痛薬（NSAIDs），アセトアミノフェン〕で効果が得られる．これらで効果が得られない場合は骨の熱損傷を疑い精査が必要である．NSAIDsと相互作用があるものを以下に示す．服用者には注意が必要である．

①ニューキノロン系抗菌薬

②クマリン系抗血液凝固薬

③降圧薬

④利尿薬

⑤血糖降下薬

⑥尿酸排泄促進薬

⑦抗てんかん薬

⑧炭酸リチウム

⑨メトトレキサート

⑩ジゴキシン

12章 インプラント体の埋入時期・荷重時期

1. 埋入時期

1）待時埋入（通常埋入）

抜歯窩が治癒した状態でインプラント体を埋入することをいう．抜歯時にソケットプリザベーションを併用し歯槽部の保存を図る場合，抜歯時または早期に骨再生誘導法（GBR 法）を行い，骨の増大を図る場合がある．そのまま軟・硬組織の治癒を待つ場合には，約 4 ～ 6 か月後にインプラント体埋入を行う．抜歯窩が完全に治癒して骨に置換されるまでには 6 か月以上要すると言われている．

2）早期埋入

抜歯窩が治癒する以前にインプラント体を埋入することをいう．抜歯窩周囲軟組織が治癒した状態，あるいは抜歯窩に部分的に骨が形成された状態でインプラント体を埋入する．

(1) 適応症

対象とする歯ならびに周囲に感染や炎症がないか，存在しても軽度な場合．審美領域では軟組織が治癒した状態でインプラント体を埋入することで，さらなる骨吸収が進むことを防ぐ．

(2) 注意点

抜歯時に，移植材の填入などによる抜歯窩の形態の維持ならびに上皮の侵入を防ぐ処置を行う必要がある．

3）即時埋入

抜歯あるいはインプラント体の撤去と同時にインプラント体を埋入することを即時埋入という．フラップレスにて即時埋入を行う場合や，結合組織移植術（CTG）や GBR 法を併用する場合もある．

(1) 適応症

対象とする歯ならびに周囲に感染や炎症が存在せず，唇側骨が存在し，大きな骨欠損がなく，十分な初期固定が期待でき，かつ付着粘膜が広範に存在する場合に，フラップレス埋入を行うことができる．

(2) 注意点

抜歯窩に炎症性の組織や病変を残さないよう丁寧に掻爬し，新鮮な骨表面を露出させる．抜歯窩内径よりもインプラント体の直径が小さく空隙を生じる場合には，移植材を填入する．経時的な抜歯窩の形態変化は予測が難しいため，埋入するインプラント体の直径や長さには十分配慮する必要がある．

2. 荷重時期（表 18，19）

1）待時荷重（通常荷重）

インプラント体埋入後 2 か月以上経過した後に暫間的なアバットメントあるいは最終的なアバットメントを装着し，暫間上部構造を装着して咬合接触を与えることをいう．さらに荷重までに時間をかける場合（遅延荷重）では，下顎で 3 か月，上顎で 6 か月以上待つ場合もある．

2）早期荷重

インプラント体埋入後 1 週から 2 か月までの間に暫間的なアバットメントあるいは最終的

なアバットメントを装着し，暫間上部構造を装着して咬合接触を与えることをいう．

3）即時荷重

インプラント体埋入時あるいはその 1 週以内に暫間的なアバットメントあるいは最終的なアバットメントを装着し，暫間上部構造を装着して咬合接触を与えることをいう．

(1) 適応症

インプラント体の埋入時に十分な初期固定が得られた場合．

(2) 注意点

咬合接触は最小限に留め，段階的に負荷を増やすこと（プログレッシブローディング）が推奨される．可能なかぎり複数のインプラント体を金属で補強した暫間上部構造で連結固定することが勧められる．

表 18　荷重時期に対する見解の変遷[61-65]（Wismeijer ほか，2010[60] を改変）

	即時荷重	早期荷重	待時荷重（通常荷重）	遅延荷重	用語解説
バルセロナコンセンサス (2002)	＜ 24 時間	＞ 24 時間 ＜ 3 ～ 6 か月	3 ～ 6 か月	＞ 3 ～ 6 か月	非咬合性荷重：中心咬合位で咬合接触を付与しない修復
ITI コンセンサス (2003)	＜ 48 時間	＞ 48 時間 ＜ 3 か月	3 ～ 6 か月	＞ 3 ～ 6 か月	即時修復：咬合接触を付与しない即時荷重
EAO コンセンサス（2006)	＜ 72 時間		＞ 3 か月 （下顎） ＞ 6 か月 （上顎）	＞ 3 ～ 6 か月	即時修復もしくは非機能即時荷重は，インプラント体埋入後 72 時間以内の咬合接触を付与しない修復
Cochrane システマティックレビュー (2007)	＜ 1 週	＞ 1 週 ＜ 2 か月	＞ 2 か月		即時荷重は咬合接触の有無を問わない
ITI コンセンサス (2008)	＜ 1 週	＞ 1 週 ＜ 2 か月	＞ 2 か月		

表 19　各荷重に対するエビデンスの度合い（Wismeijer ほか，2010[60] を改変）

	可撤性		固定性	
	上顎	下顎	上顎	下顎
通常荷重	CWD	SCV	SCV	CWD
早期荷重	CD	CWD	CD	CD
即時荷重	CID	CWD	CWD	CWD
即時埋入・即時荷重	CID	CID	CD	CID

SCV：文献的にも臨床的にも実証されているもの
CWD：臨床的に十分検証されているもの
CD：臨床的に検証されているもの
CID：臨床的に検証が不十分なもの

3. 免荷期間を短縮する荷重プロトコールの選択

免荷期間を短縮することは，患者の負担を軽減し，患者の期待に早期に応えることができるという大きなメリットがある反面，インプラント治療の失敗というリスクを背負うことにもなりかねない．したがって，期待する結果を得るためには，ある程度のリスクを伴うことをあらかじめ患者に伝えておく必要がある．また，提示したインプラント治療の利点とその制限について，患者に十分な情報を与えなければならない．当然，良好な歯科医師－患者間の信頼関係が確立されることが前提である．

適切な荷重プロトコール（待時荷重，早期荷重，即時荷重）選択の指針は，さまざまな学会や研究機関から報告されているが，これらの見解は統一されているとは言いがたい．なぜならば，荷重プロトコール決定に際しては，オッセオインテグレーションの獲得と維持に必要な全身的，局所的パラメータを正確に整理することが重要であるが，これらを分析，整理するための臨床エビデンスが不足しているためである．

パラメータとして重要な因子は，初期固定，荷重負荷の方法，長期的メインテナンス，患者の全身状態と既往歴，口腔の状態，咬合状態，パラファンクションの有無，インプラント体の埋入本数，サイズ，形状，性状，埋入位置，補綴設計などである．これらの多くは，術者の経験，知識，技術力によって大きく影響され，客観的なデータとして表現しにくい部分である．特に早期荷重，即時荷重にとって必須条件である「十分な初期固定力」は，術者の技術力に大きく左右される．また，適切な補綴設計も術者の経験や知識によって大きく異なる．したがって，免荷期間を短縮する治療法は，その術式や設計が複雑であることから，適切な教育を受け，豊富な経験と高い技術力を備えた熟練した臨床医にとってのみ有効な治療法であるといえる（表 20）．

表 20　術者のスキル，知識などが関与した早期荷重，即時荷重のリスクファクター

初期固定の不足	インプラントの選択：マクロデザイン（外形，長さ，径など），表面性状など 埋入部位の選択と評価：上顎あるいは下顎，前歯あるいは臼歯部，骨質 埋入窩の形成方法：アダプテーションテクニック，ボーンコンデンス など
過重負担	インプラント補綴設計 　埋入位置：上顎あるいは下顎，前歯あるいは臼歯部 　埋入本数 　暫間補綴（連結）方法：インプラントレベルあるいはアバットメントレベル 　暫間補綴補強方法 　対合歯との咬合接触の調整 　など 患者選択 　パラファンクションのスクリーニング 　患者教育と患者のアドヒアランス 　など

13 章　骨組織，軟組織のマネジメント

1．骨組織のマネジメント

長期間安定したインプラント治療を行うには，インプラント体周囲に良質で豊富な骨が存在することが不可欠である．高度に吸収した顎堤とそれに隣接する上顎洞や神経などの解剖学的構造の存在はインプラント治療にとって大きな障害となる．このような悪条件を克服するために骨移植など多くの対応策が用いられている．

1）骨増生（骨造成）

（1）移植材

インプラント治療で使用する移植材には，自家骨，同種骨（他家骨），異種骨，人工骨があり，それぞれに特徴を有している．形状はブロック，細片状，顆粒状があり，それぞれ使用目的に合わせて使い分ける．なお，移植材としてなにが適しているかはまだ議論の余地がある[66, 67]（**表 21**）．臨床的には自家骨，既存骨の応用が基本であるが，手術侵襲の観点から人工骨の使用も増加している．

表 21　インプラント治療で用いる移植材　（2024 年 5 月現在）

	原材料	吸収性	骨形成能	病原性や抗原性に対する安全性	特徴	薬事承認（歯科）
自家骨		吸収性	○	○	粉砕皮質骨．海綿骨は吸収が速い	
同種骨（他家骨）	DFDBA，FDBA	吸収性	—	—		未承認
異種骨	天然 HA（牛骨由来）	非吸収性，吸収性	—	△	骨の構造を温存	インプラントでは未承認
	天然 HA（牛骨由来）＋アテロコラーゲン	非吸収性	—	△	骨の構造を温存	インプラントでは未承認
人工骨	合成 HA	非吸収性	—	○		一部インプラントで承認
	合成 HA ＋ β-TCP	非吸収性	—	○		未承認
	β-TCP	吸収性	—	○	半年～ 1 年で破骨細胞により吸収	インプラントでは未承認
	炭酸アパタイト	吸収性	—	○	1 ～ 2 年で破骨細胞により吸収	インプラントで承認
	OCP+ アテロコラーゲン	吸収性	—	△	半年～ 1 年で破骨細胞により吸収	インプラントで承認
	低結晶 HA ＋アテロコラーゲン	吸収性	—	△	半年～ 1 年で破骨細胞により吸収	インプラントでは未承認

a）自家骨

移植された自家骨は骨形成能を有し，オッセオインテグレーションや骨のリモデリングに関与する[68]．自家骨の採取部位は口腔内では下顎骨のオトガイ部，下顎枝，上顎結節，前鼻棘およびインプラント体埋入部があり，口腔外では腸骨や脛骨などである（**図 27**）．採取部位の選択は主として必要な骨量，移植骨の形状などで決定する．自家骨は移植材として優れてい

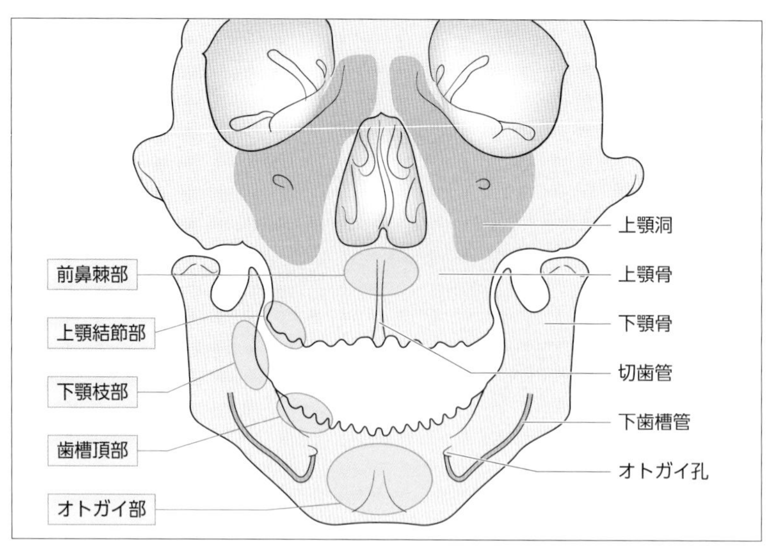

図 27　自家骨の採取部位（口腔内）

るが，採取手術によるドナーサイトへの侵襲と採取量の制約に問題が残る．採取した骨はブロックあるいは細片状にして使用する．

b）同種骨（他家骨）

ご遺体から採取し処理後，凍結乾燥骨（FDBA），脱灰凍結乾燥骨（DFDBA），放射線照射骨として使用する．我が国では厚生労働省の薬事承認が得られていないので国内では販売されていない．未知の感染症や倫理的な問題がある．

c）異種骨

タンパクを除去し，ミネラル成分のみを残した動物の骨で[66]，骨伝導能は不明だが[69]，新生骨の足場としての役割を担う．諸外国では生体親和性の高い脱タンパク牛骨ミネラル（商品名；Bio-Oss®など）が用いられることが多い．我が国では歯周組織再生治療材料の一つとして厚生労働省の認可を受けているものの，骨幅，骨の高さの獲得を目的とした骨造成材としては未承認である．

d）人工骨

さまざまな材料が合成されてきたが，これまで臨床で多く用いられているものは，ハイドロキシアパタイト（HA）とβ-リン酸三カルシウム（β-TCP）である．HAは生体親和性に優れており，骨組織と結合するが，骨組織に置換されないので，オッセオインテグレーションには不利である．β-TCPは比較的早期に吸収され骨組織に置換されると報告されている[68, 69]．インプラント体の埋入を前提とした使用目的で承認されている炭酸アパタイト（商品名；サイトランス®グラニュール）はβ-TCPと同様に骨組織に置換されるが，β-TCPよりも緩やかな速度で骨組織に置換されることが報告されている[70]．また，新規に承認されたリン酸オクタカルシウム（OCP）＋アテロコラーゲンは吸収性のスポンジ体であり，骨組織に置換されると報告されている[71]．

e）厚生労働省の薬事未承認材料の使用に関して

未承認材料の使用に関しては，術者の責任のもと，材料の成分やその有用性とデメリットを患者に十分説明し，同意書を作成したうえで使用しなければならない．

(2) 自家骨採取

a) 口腔内からの採取（図27）

①オトガイ部

オトガイ孔間のオトガイ部はアプローチが容易で，ブロックでも細片状でも良質な皮質骨が得られることから，幅広く用いられている．しかし，術後の神経麻痺や不快感を生じやすく，特に舌側から骨内に舌下動脈が分布していることもあり，出血しやすい．舌側の皮質骨の保存は不可欠で，CTなどによる骨幅や形態の術前検査が必要である[72-74]．

②下顎枝

下顎枝からの骨採取は厚み，形態，採取量などに制約があるが，術後の不快感や神経麻痺などの障害は少ない．ブロックでも細片状でも良質な皮質骨が得られることから，幅広く用いられている[75]．

③上顎結節部

採取しやすいが，翼突筋静脈叢に達すると止血困難な出血を起こす．中高年の女性は脂肪変性により骨質が悪い場合が多い．

b) 口腔外からの採取

①腸骨

大量の骨採取が可能であるが，全身麻酔や入院が必要である．皮質骨海綿骨ブロックは下顎骨の形態に類似し，固定も容易なので下顎骨部分欠損に適しているが，経時的に骨吸収が著明となる[76]．また，骨髄を含む腸骨海綿骨骨梁移植（PCBM：particulate cancellus bone and marrow）は外科的侵襲が大きい．しかし，移植された骨形成細胞は移植された場所で生き延び，早期に骨形成がなされることから，適応される頻度は高い．

②脛骨

口腔外採取部位としては外科的侵襲が少なく，海綿骨骨梁移植に適している．採取量が少なく，下腿に手術痕が残るので，適応症の選択は慎重に行わなければならない[77]．

(3) 骨移植の種類（図28）

骨移植は，インプラント体の埋入に必要な垂直的あるいは水平的骨量が不足している場合に行う．ブロック骨を用いる方法と細片骨をチタンメッシュなどで包む方法とがある．ブロック骨は自家骨を用い，細片骨移植では自家骨のほか，異種骨，人工骨と混ぜて移植することが多いが，自家骨の含量率が高いことが望まれる．いずれも①母床骨の皮質骨表面に多数の小孔を形成し早期の血液供給を促すこと，②ブロック骨は移植部にスクリューなどでしっかり固定すること，③弁に張力がかからないよう減張切開を応用して移植部を被覆し縫合すること，などが必要である[78]．

a) ベニアグラフト

唇・頬側にブロック骨を張りつけて顎堤の幅を獲得する．

b) オンレーグラフト（アンレーグラフト）

顎堤上にブロック骨を載せ，平坦で低い顎堤を高くする．

c) Jグラフト（サドルグラフト）

垂直的および水平的骨量が不足している場合に用いる．

d) 細片骨移植

自家骨を破砕し，チタンメッシュやバリアメンブレンで被覆して骨量を獲得する．

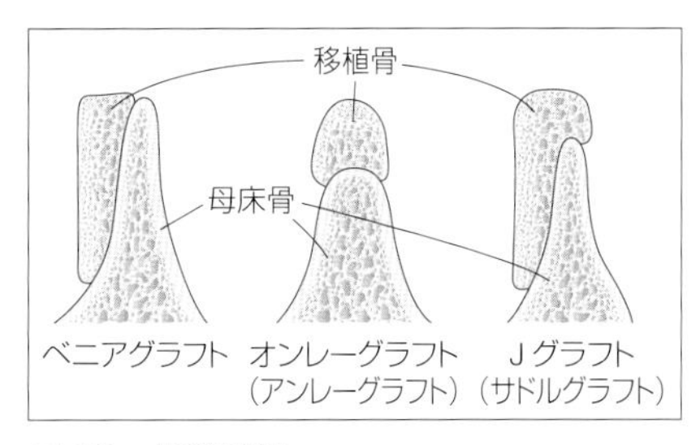

図28　骨移植法

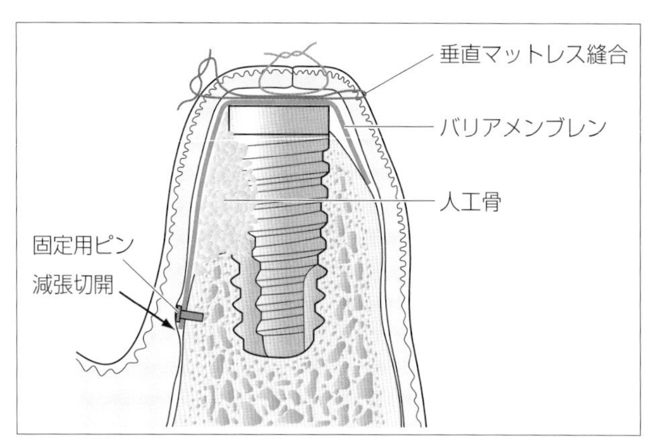

図 29　GBR 法

2）骨再生誘導法（GBR 法：guided bone regeneration）

バリアメンブレンを用いて骨欠損部への線維組織の侵入を遮断し，隣接する骨髄腔の細胞を欠損部に侵入分化させ，骨形成が可能な環境を作ることが目的である．骨再生のスペースを確保し，より早く骨組織を再生させるため，骨とバリアメンブレンの間に自家細片骨，炭酸アパタイトやβ-TCP などを添加する（**図 29**）．

バリアメンブレンには非吸収性膜（チタン製膜，e-PTFE 膜）と吸収性膜（アテロコラーゲン膜，L- ラクチド - ε カプロラクトン共重合体膜など）がある．非吸収性膜は除去する必要はあるが，遮蔽効果が永続する．吸収性膜は，製品により吸収速度は異なるが，生体に吸収されるため，骨造成後に除去する必要はない．

3）上顎洞底挙上術

上顎洞が歯槽頂に近接している場合に，上顎洞粘膜と上顎洞底部骨の間にスペースを作り，インプラント体埋入に必要な骨組織を増大させる方法で，そのスペースには自家骨や人工骨などを移植する．上顎洞底挙上術のアプローチには 2 つあり，上顎骨外側壁から上顎洞に到達する方法をラテラル（側方）アプローチ（サイナスリフト），埋入窩から上顎洞に到達する方法をクレスタル（歯槽頂）アプローチ（ソケットリフト）という．ラテラル（側方）アプローチとクレスタル（歯槽頂）アプローチの選択は歯槽頂から上顎洞底の距離，挙上量，上顎洞底の形態，初期固定の有無などによって決定する（**表 22**）．

上顎洞底挙上術と同時にインプラント体を埋入する 1 回法は初期固定が得られることが必須である．初期固定が得られにくい場合は骨組織の成熟を待ってからインプラント体の埋入を行う 2 回法が適している．禁忌症として，上顎洞内に炎症や嚢胞などの病変を認める場合，自然孔が閉鎖している場合，およびヘビースモーカーがあげられる（**表 23**）[79-83]．

4）血管柄付き骨移植

上下顎骨の硬性再建として，血管柄付き骨移植が用いられることが多く，移植骨の形態を修正することで，悪性腫瘍などで失った広範囲の顎骨と軟組織の再建を同時に行うことが可能な方法である．腓骨皮弁，腸骨皮弁，肩甲骨皮弁が頻用され，可動性を有する皮弁部へのインプラント体埋入の際には，インプラント周囲軟組織に対する処置が必要である．

(1) 腓骨皮弁

現在，血管柄付き骨移植を用いた顎骨再建後のインプラント体埋入に多く用いられている．腓骨動脈を栄養血管とし，皮弁の自由度も高く，採取可能な長さは 22 ～ 26 cm である[84]．長い移植骨は下顎骨再建のみでなく，部分的に骨切りを加え，自由度を付与することで上顎骨

表22　上顎洞底挙上術におけるラテラルアプローチとクレスタルアプローチの比較

	ラテラル（側方）アプローチ（サイナスリフト）	クレスタル（歯槽頂）アプローチ（ソケットリフト）
外科的侵襲	比較的大きい	比較的小さい
手術野の明視	明視野での手術が可能	盲目的な手術
インプラント体の長さ	長いインプラント体を選択できる	制限がある
骨，人工骨の量	十分な量が必要 まんべんなく塡入できる	少ない 偏りが出る場合がある
インプラント体の洞内迷入	リスクは低い	既存骨の高さが低いほどリスクは高い
洞粘膜の穿孔	確認できる	確認が困難
穿孔時の修復	修復できる	難しい
挙上可能な高さ	必要な高さまで可能	条件により3～5 mm
既存骨の高さ	制限なし	4～5 mm以上は必要

表23　上顎洞底挙上術の検査項目

- 全身状態
- 埋入部位
- 骨頂から上顎洞底までの垂直的骨量
- 上顎洞底の骨質
- 上顎洞底の形態
- 上顎洞粘膜の厚さ
- 上顎洞内の病変の有無
- 自然孔の開放の有無
- 喫煙の有無

再建への応用も可能である．採取部の合併症として，歩行障害や大腿外側知覚麻痺などの下肢への知覚異常がある．

(2) 腸骨皮弁

深腸骨回旋動脈を栄養血管とし，比較的強度や形態が再建部への適合面では優れているが，採取可能な長さが10～14 cm程度と限られている[84]．大きく採取した場合には腸骨外形に変形を生じる．また，皮下組織が厚く再建後のインプラント体の埋入にはかさばりやすい．

(3) 肩甲骨皮弁

肩甲回旋動脈を栄養血管とし，顎骨の連続性を考慮した場合，血行も良好で肩甲骨皮弁は解剖学的に顎堤のアーチに類似しているため，咬合機能の回復に優れている．しかし，採取可能な長さは10～14 cmと限られており[84]，採取部の合併症として，上腕部の運動障害がある．

5) 仮骨延長術

骨折の治癒原理を利用して骨を増生する方法で，骨を増生したい部分に骨切りを行い，骨片に小型の延長装置を取り付け，その骨片を毎日少しずつ引き離すことにより，両骨端から新生骨が仮骨してくる．骨延長は毎日0.5 mm前後と言われており，骨延長に伴い周囲粘膜も同時に伸展するので粘膜裂開などの継発症を防ぐことができる．垂直的な延長と頰舌的な延長がある．術後，軟組織の張力，移動した骨片の萎縮による後戻りを起こすことがある．

6) スプリットクレスト（リッジエクスパンション）

狭窄した歯槽骨を唇頰舌的に増大させる場合に適用する．歯槽頂に沿って骨切りを行い，唇頬舌側の骨壁を若木骨折させ，インプラント体を挟み込むように埋入する．インプラント体の埋入方向は骨切りした方向に制約される．骨壁間のスペースには骨移植の必要がある[85]．

7）下歯槽神経側方移動術

下顎臼歯部のインプラント治療に際し，下歯槽神経までの垂直的距離が不足している場合に用いる．下顎骨の頬側皮質骨壁を除去し，慎重にオトガイ神経と下歯槽神経を剖出する．オトガイ孔の周囲骨壁の除去に際し，神経損傷を起こすことがある．切歯枝を切断後，下歯槽神経束を頬側に移動し，インプラント体の埋入を行う．埋入後は神経束を元に戻し，除去した骨片を填入し縫合する．オトガイ孔を移動しないで下顎骨内の神経血管束のみを外側移動する方法もある．下歯槽神経知覚障害，下顎骨骨折および骨髄炎を起こすリスクがある[86]．

2. 軟組織のマネジメント

上部構造周囲の軟組織（口腔粘膜）形態はリスクファクターとなりうる．インプラント周囲軟組織は，大きく分けると付着粘膜（角化粘膜）と可動粘膜（口腔前庭，小帯）がある．付着粘膜の厚さが不十分な部位では退縮が起こる可能性がある．審美的回復の維持から以下のマネジメントが行われる．

1）口腔前庭拡張術

歯槽突起が低くなることにより口腔前庭が浅くなる場合に，口腔前庭側を相対的に根尖側へ移動させ，歯槽堤を作る方法である．顎骨周囲の頬筋やオトガイ筋，下唇下制筋などの付着部を切離し，安定したインプラント周囲粘膜の獲得のため，口腔前庭拡張術を行うことがある．

2）結合組織移植術

インプラント周囲軟組織の歯槽部粘膜の厚みを増やすことを目的として行われる．口腔前庭拡張のために，遊離歯肉移植術と同様に結合組織を骨膜上に移植することも行われる．

3）遊離歯肉粘膜移植術

インプラント周囲軟組織や天然歯周囲組織において，非可動性角化粘膜の幅や厚みを獲得する目的で行われる．移植には上皮組織を含めた結合組織層までの粘膜を口蓋臼歯部から採取することが多い．

14章 インプラント補綴法

1. 印象採得法・咬合採得法

1) クローズドトレー法

通常のクラウン・ブリッジにおける印象採得と同様に，クローズドトレー印象用コーピングの陰型が印象体に記録される．印象体の撤去後，口腔内から印象用コーピングを取り外し，インプラントアナログを締結した印象用コーピングを印象体の陰型部分に戻すため，トランスファー印象とも呼ばれる．後述するオープントレー法と比較すると操作手順が簡便である．また印象用コーピングを印象体に正確に戻すため，印象用キャップを併用するシステムもある．本法では，コーピングの戻し方などにより印象精度は影響を受けやすいため注意を要する．

2) オープントレー法

本法では印象用コーピングの固定用スクリューを緩めるための穴が開いているオープントレーを用いる．印象用コーピングを印象体に取り込む印象法であるため，ピックアップ印象法とも呼ばれる．印象材が硬化した後に印象用コーピングを固定しているスクリューを緩めてからトレーを撤去するという手順を要するため，手技がやや煩雑であるが，印象体からコーピングを抜き取らないため，印象精度は一般的にクローズドトレー法よりも良好である．さらに，印象用コーピング同士を低重合収縮レジンで連結することで作業用模型の精度向上につながる．しかしインプラントアナログを取り付ける際に不用意にコーピングに力をかけすぎると，印象体の中でコーピングが動いてしまうため注意を要する．

3) 光学印象

インプラント体もしくはアバットメントにスキャンボディを装着し，口腔内スキャナーを用いて行う．詳細はp.75を参照されたい．

4) ポジション確認用ジグ（verification jig）

複数のインプラント体が埋入された症例において，金属製のジグ，テンポラリーアバットメントもしくは印象用コーピング，低重合収縮レジンを用いてインプラント体同士の位置関係を記録する方法がある（**図30**）．クローズドトレー法もしくはオープントレー法により製作された模型上のインプラント体の位置精度が不十分な場合，ポジション確認用ジグにより製作された確認用模型（verification cast）を用いて位置関係の修正を行う．特に，CAD/CAMで使用されることの多いジルコニアやチタンは，切断・ろう着ができないため，本法を用いることが多い．

5) 咬合採得法

少数歯中間欠損ではクラウン・ブリッジに準じて咬合採得用シリコーンゴムやパラフィンワックスを用いて行う．遊離端欠損では必要に応じて咬合床を用いる．多数歯，無歯顎の場合も咬合床を用いて行う．その際，インプラント体にスクリューで固定するインプラント支持型咬合床を用いることにより，正確な咬合採得が可能となる（**図31**）．顎位が不安定な場合は，暫間上部構造を用いて顎位が安定した後に最終上部構造の製作を行う．

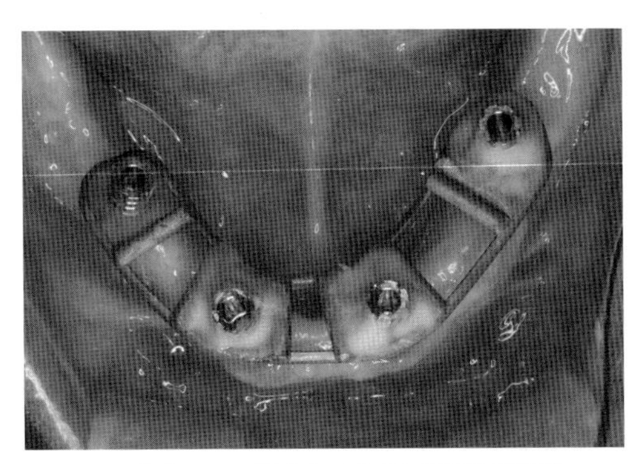

図 30　ポジション確認用ジグと確認用模型
インプラント同士の位置関係を正確に記録するために用いる．

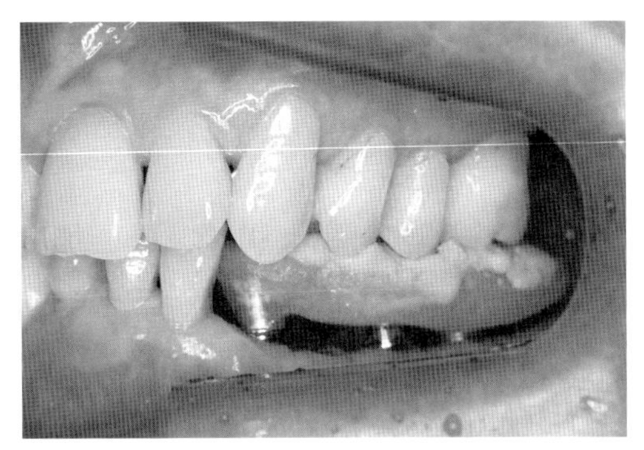

図 31　インプラント支持型咬合床
遊離端欠損，多数歯欠損，無歯顎の場合などに用いる．

2. 暫間上部構造

1) 骨造成後やインプラント体埋入後の待時期間中

待時荷重を選択した場合，可撤性義歯や隣在歯にレジンセメントで接着した暫間補綴装置などを利用して，欠損部の咀嚼，審美，発音機能などを代替させる．可撤性義歯を用いる場合は，骨造成部やインプラントに過度の荷重が伝わらないようリリーフを行い，必要に応じて軟質リライン材などを用いる．レジン床内を走る金属製のフレームあるいはクラスプの維持部は，インプラント体埋入部のリリーフの障害にならないよう，通常よりも高い位置，もしくは頬舌的に避けた位置に設定しておく．

2) オッセオインテグレーション獲得後

インプラント体またはアバットメントに最終上部構造を想定した暫間上部構造を装着し，咬合，発音，舌感，審美性，清掃性などについて確認し，必要に応じて調整する．機能的に問題がなく患者の満足が得られれば，咬合採得や最終上部構造製作時の形態の参考として利用する．

3. アバットメントの選択

1) 固定様式

上部構造はスクリュー固定とセメント固定のいずれかを選択し，それぞれに適したアバットメントを用いる．また，インプラントオーバーデンチャーの場合には使用するアタッチメントを選択する．

2) セメント固定上部構造に用いられるアバットメント

既製アバットメントとカスタムアバットメントがある．既製アバットメントは治療手順が簡便でコストパフォーマンスに優れる．一方，カスタムアバットメントは鋳造もしくはCAD/CAMで製作され，高さや角度，マージン位置を自由に設定できる．

3) スクリュー固定上部構造に用いられるアバットメント

スクリュー固定上部構造には，後述するインダイレクト構造とダイレクト構造（**p.70 参照**）があり，それぞれ使用されるアバットメントが異なる．インダイレクト構造に用いられるアバットメントは，平行性が十分でないインプラント同士をスクリュー固定で連結することが可能となるよう，許容角度が大きく設計されている．特に内部連結機構を有するインプラントでは，連結により上部構造の適合精度の確保が困難となる場合があり，インダイレクト構造用のアバットメントの使用が推奨される．またインダイレクト構造用のアバットメントには，上部構造の着脱方向がインプラント軸に対してストレートのタイプと角度付きのタイプが存在する

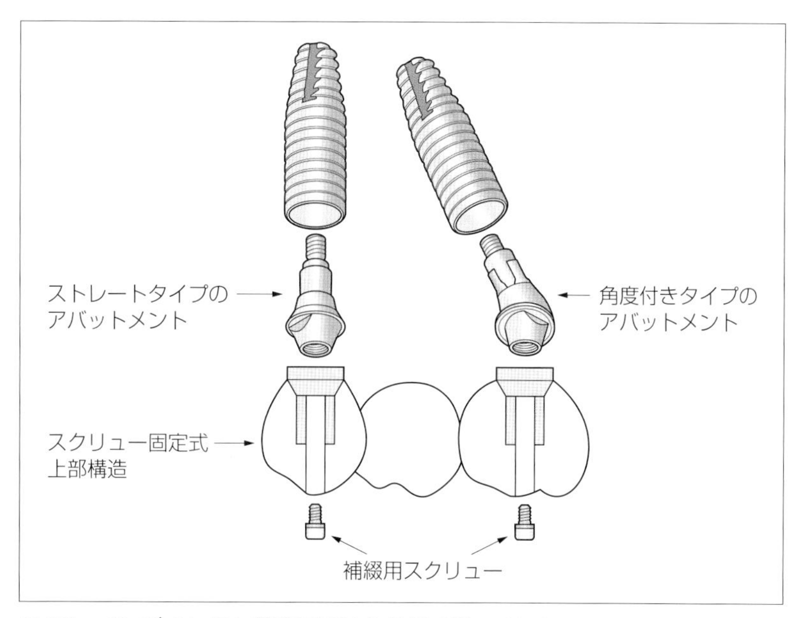

図32 インダイレクト構造に用いられるアバッメント
許容角度が大きく設計されている．また，ストレートタイプと角度付きタイプのアバットメントが存在する．

(図32)．ダイレクト構造に用いられるアバットメントについては後述する（p.70参照）

4）アバットメントの材質

既製アバットメントでは主にチタンが，カスタムアバットメントではジルコニアやチタン，貴金属が用いられる．審美領域では金属よりもジルコニアのほうが審美的リスクを低減できる．しかしジルコニアは金属と比較して破折強度に劣るため，すべてジルコニアで製作されたアバットメントはインプラントとの接合部で破折するリスクがある．またジルコニアは耐摩耗性が高いため，接するインプラントを摩耗させる可能性もある．そのため近年では，チタンベースにレジンセメントで合着したジルコニアアバットメントが選択される場合が多い．

4. 最終上部構造（固定性）

1）インプラント上部構造の特徴

インプラントは天然歯と異なり歯根膜をもたず被圧変位量が少ないため，上部構造の製作においては天然歯のクラウンよりも優れた適合が求められる．またインプラント体のプラットフォーム部の直径は，天然歯の歯頸部と比較して小さくなることが多い．特に大臼歯部においてその差は大きくなるため，適切な清掃性をもったエマージェンスプロファイルについても考慮する必要がある．上部構造の固定方法には，スクリュー固定，セメント固定があり，咬合状態，クリアランス，審美性，インプラント体の位置，方向などを勘案し，いずれか選択する．

2）セメント固定とスクリュー固定

固定性の最終上部構造にはセメント固定とスクリュー固定がある．セメント固定は，アクセスホールが存在しないことから審美性および機械的強度に優れ，咬合付与が容易である．一方，クリアランスが少ない場合は上部構造が脱離しやすいこと，アバットメントスクリューの緩みに対する再締結が困難な場合があること，セメントの取り残しの可能性などが欠点としてあげられる．特にセメントの取り残しはインプラント周囲炎を惹起する可能性があることから[87]，必要に応じてカスタムアバットメントを用いてマージンの位置を適切に設定するなどの配慮を行う．

スクリュー固定はセメント取り残しのリスクがないこと，リトリバビリティ（着脱の自由度）に優れることなどが利点としてあげられる．一方，アクセスホールの位置によっては審美性に劣ること，咬合付与が困難な場合があること，機械的強度に劣ることなどが欠点としてあげられる．スクリュー固定には，インダイレクト構造とダイレクト構造がある．インダイレクト構造は許容角度が大きいアバットメントを用いるため，連結冠やブリッジタイプの上部構造を装着する場合に用いられる．ダイレクト構造は上部構造とアバットメントが一体となっており，鋳造で製作されるもの（UCLA アバットメント）と，カスタムアバットメントや既製アバットメントに上部構造をセメントで固定して製作されるものがある（**図 33**）．

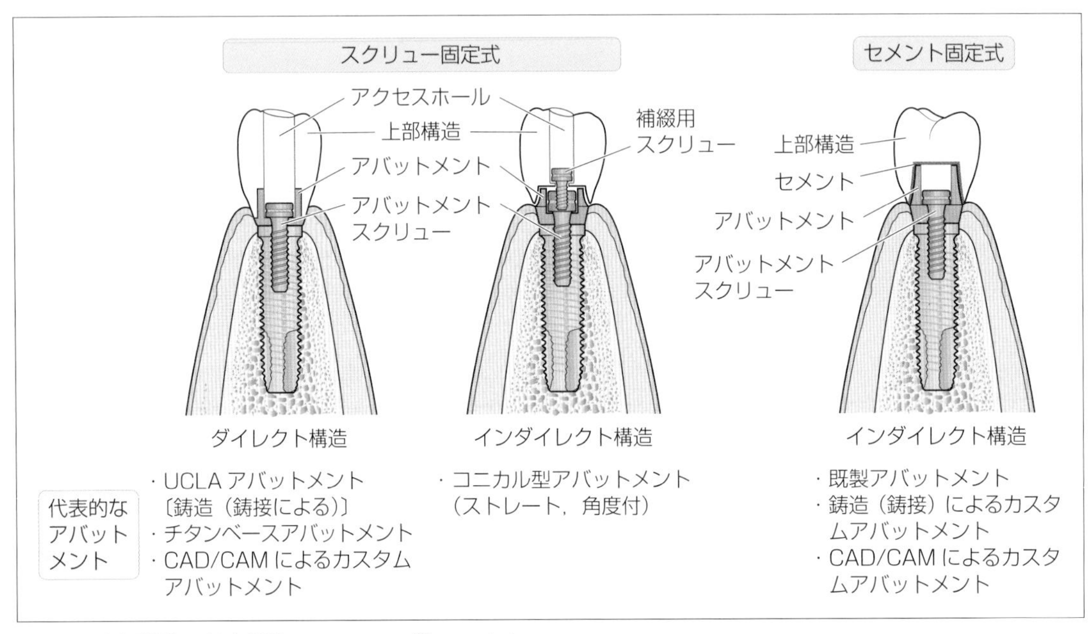

図 33　上部構造の基本構造（萩原，2023[88] より引用）

3）力学的な注意点

咬合接触の位置がインプラント体から遠く離れるほど曲げモーメントが増大し，スクリューの緩みを発生させやすい．緩みが発生する場合には，中心咬合位での咬合接触を軸心寄りになるよう咬合調整し，側方運動時は既存のガイドの障害とならないようにする．単独インプラントによる犬歯誘導付与の明確な根拠はないので注意を要する．

4）生物学的な注意点

周囲に十分な角化粘膜を確保する．必要に応じて二次手術時などに軟組織の移植を行う．

5）連結冠，ブリッジの注意点

天然歯とインプラントは被圧変位量が異なることから，両者の連結は原則的に避ける．また，カンチレバーはインプラントの残存率や周囲骨吸収量には影響しないとされるが，機械的合併症の発生を増加させるとの報告もあることから注意を要する[89]．ブリッジの場合は，最終的に求める外形，審美性，咬合，清掃性に適したポンティックの形態に配慮する．特に前歯部では，リップサポートおよび発音の問題を事前に暫間上部構造で確認し，人工歯肉（ピンクポーセレン）の付与あるいは可撤性ブリッジとすることも考慮する．

また，スクリュー固定ではパッシブフィットが得られていないとスクリューの緩みやコンポーネントの破折を引き起こす可能性がある．そのため，前述したポジション確認用ジグを用いてインプラントの位置関係を正確に記録する．また上部構造の試適の際には，端にある1個のスクリューのみを口腔内で締結してほかの接合部の浮き上がりを探針やエックス線検査，適合試験材などで観察するワンスクリューテストなどを用いて適合を確認する．

5. 上部構造の材質

使用する材料は，補綴部位，咬合状態，クリアランス，ブラキシズムの有無，患者の審美的要求，プラークコントロールの状態などを勘案し，各材料の機械的性質，審美性などを考慮し選択する．

主に用いられる材料としては，金属（チタン，金合金，白金加金，コバルトクロム合金など），ジルコニア，二ケイ酸リチウムなどがあり，前装材料としてとしては硬質レジン，ハイブリッドレジン，ポーセレンなどが用いられる．特にジルコニアは審美的かつ機械的強度が非常に高く，生物学的性質にも優れるため近年頻用されている．しかし注意すべきこととして，咬合調整後の研磨が不十分であると，ジルコニアは対合歯に著しい摩耗を生じることが知られている．その一方で，十分に研磨されたジルコニアの摩擦係数は他の材料と比較して小さく，また均質組成であるため摩擦回数の増加に伴う摩擦係数の上昇は生じないことも報告されている[90)]．

6. インプラントオーバーデンチャー

1）適応上の注意点

インプラントオーバーデンチャーは，喪失した歯のみではなく，軟組織まで上部構造に組み込むことが可能である．そのため，固定性上部構造と比較してリップサポートの付与に優れる．上顎と下顎でオーバーデンチャーに必要とされるインプラントの最少本数や連結の必要性が異なる．下顎無歯顎では，McGill コンセンサス会議（2002）において前歯部に埋入した2本のインプラントで支持するオーバーデンチャーが第一選択として推奨されている[91)]．一方，上顎に関しては，下顎よりも多くの本数が必要ということではコンセンサスが得られていると考えられるが，最小本数や用いるべきアタッチメントの種類，連結の必要性などについてのエビデンスはまだ十分ではない．

2）アタッチメント

バーアタッチメント，ボールアタッチメント，ロケーターアタッチメント，磁性アタッチメントなどを用いる．アタッチメントの選択は，以下の点を考慮して行う．また主なアタッチメントの特徴を**表24**に示す．

表24 インプラントオーバーデンチャーに用いるアタッチメントとその特徴

	バーアタッチメント	ボールアタッチメント	ロケーターアタッチメント	磁性アタッチメント
維持力	維持装置の種類による	比較的大きい	調整可能	比較的小さい
アタッチメントの交換	必要	必要	必要	基本的に不要
必要なクリアランス	大きい	比較的大きい	比較的小さい	比較的小さい
インプラント間の平行性	不要	必要	必要	必要
清掃性	比較的困難	比較的容易	比較的容易	比較的容易
治療の煩雑性	やや煩雑	容易	容易	容易

(1) 維持力

アタッチメントの種類により維持力は異なる．一般的に，摩擦力で維持するタイプのアタッチメントは経時的に維持力の低下が生じやすい．

(2) パーツの交換

磁性アタッチメントを除くアタッチメントは経時的な劣化や変形を避けられないため，パーツの交換が必要である．

(3) アタッチメントの大きさ

デンチャースペース内にアタッチメントを配置するため，アタッチメントの大きさは治療の成功のための重要な因子である．デンチャースペースの不足した部位に高いアタッチメントを配置すると義歯破折の原因となる．一方，デンチャースペースを確保するため義歯床の厚みを増すと舌房を阻害する．そのため，術前に用いるアタッチメントを検討し，インプラント体埋入部位を決定する必要がある．また，アタッチメントが低いほど支台となるインプラント体の受ける側方力は小さくなるが，把持効果は減少する．

(4) インプラント間の平行性

多くの根面アタッチメントは，インプラント間の平行性が良好でないと使用できない．一方，バーアタッチメントはインプラント間の平行性が乏しい場合も適応可能である．

(5) 清掃性

根面アタッチメントに比べ，バーアタッチメントは一般的に清掃が困難である．また根面アタッチメントも，歯冠を有する天然歯やインプラントと比較すると清掃が困難な場合もあり，十分な口腔衛生指導が必要である．

(6) 治療の煩雑性

根面アタッチメントのインプラント体や義歯への取り付けは，比較的容易な場合が多い．しかし直接法で義歯にアタッチメントを取り付ける場合，アンダーカットに即時重合レジンが入り込まないよう配慮を要する．一方，バーアタッチメントはバーの製作に十分な精度の印象採得が求められ，操作は比較的煩雑である．

7. インプラントリムーバブルパーシャルデンチャー (implant removable partial denture：IRPD)

部分欠損症例に対し少数のインプラントを埋入し義歯の支台とする方法であり，implant supported removable partial denture (ISRPD)，implant retained removable partial denture (IRRPD)，implant assisted removable partial denture (IARPD) とも呼ばれる．固定性の上部構造と比較しインプラントの本数が少ないため，一般に低侵襲かつ低コストとなる．特に遊離端欠損症例では，後方にインプラントを埋入することにより中間欠損化することができ，良好な支持効果が期待できる．さらにインプラントにアタッチメントを装着することにより，維持力の向上を図ることができる．アタッチメントとしては前述したボールアタッチメント，ロケーターアタッチメント，磁性アタッチメントなどを用いる．

下顎のインプラントリムーバブルパーシャルデンチャーに関しては多くの報告があり，良好な経過が報告されている[92)]．一方，上顎における報告は少なく，一般的に下顎と比較して皮質骨が薄く骨密度が低いため，その適応には注意を要する．

15 章　口腔インプラント治療におけるデジタル技術の応用

1. デジタル技術を応用したインプラント治療のワークフロー

近年，さまざまな業種や分野においてデジタル技術の応用が急速に進んできている．歯科臨床においても，各種デジタルデバイスの発展とともに，補綴，インプラント，矯正，保存修復，口腔外科などさまざまな領域にデジタル技術が臨床応用されるようになってきた．なかでもインプラント治療は，CBCT や口腔内スキャナー，フェイススキャナーなどを元にした検査・診断，シミュレーションを元に製作したサージカルガイドプレートを用いた埋入手術やナビゲーションシステムを用いたインプラント体の埋入手術，さらには CAD/CAM や 3D プリンタを用いたサージカルガイドプレートの製作，暫間上部構造およびアバットメントや最終上部構造の設計・製作に至るまで，そのほぼすべての過程においてデジタル技術が応用されている（**図 34**）．

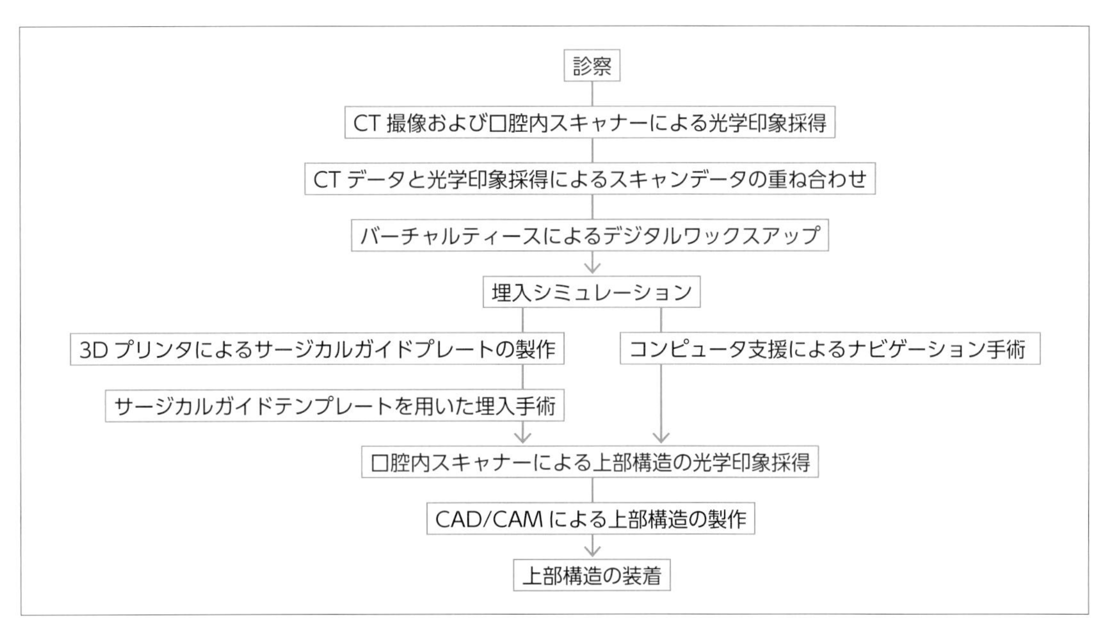

図 34　デジタル技術を応用したインプラント治療のワークフロー

2. 3D 画像による治療計画の立案

インプラント治療の検査・診断のためには，まず CT 撮像と印象採得が行われる．CBCT 撮像により得られた DICOM データと，口腔内スキャナーにより光学印象採得された STL データを専用のシミュレーションソフトを用いて重ね合わせ，欠損部顎堤にバーチャルティースを用いてデジタルワックスアップを行う（**図 35**）．ただし，多数の補綴装置が装着され CT 撮像において著しいアーチファクトが発生する場合や，CT と口腔内のデータの重ね合わせを行うための指標となる天然歯が存在しない無歯顎症例ではこの手法を用いることができない．このような場合は，重ね合わせの指標となるマーカーを組み込んだ診断用テンプレートを製作し，テンプレート単体およびテンプレート装着状態で CT 撮像を行い，両者の重ね合わせを行う（**図 36**）．

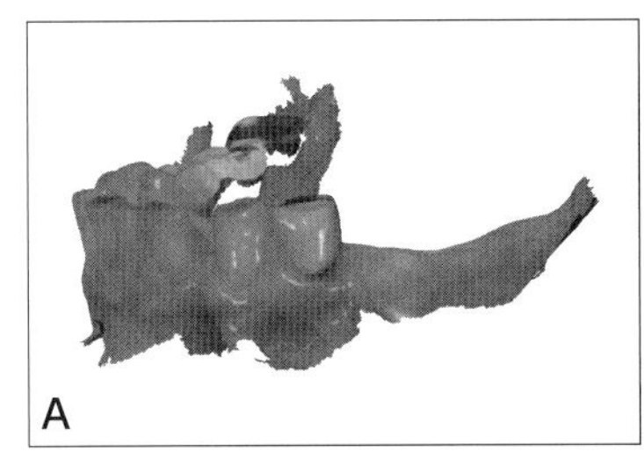

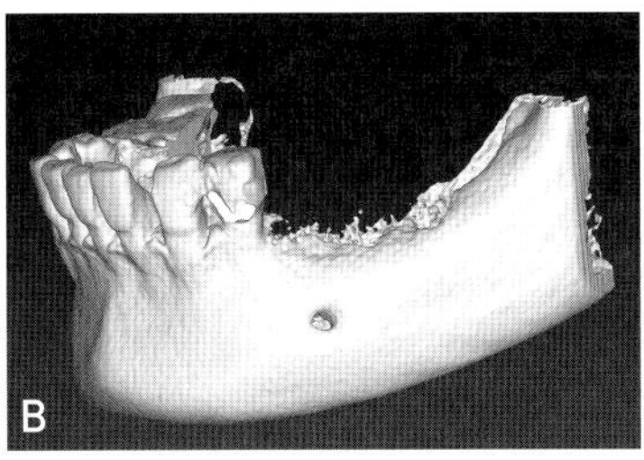

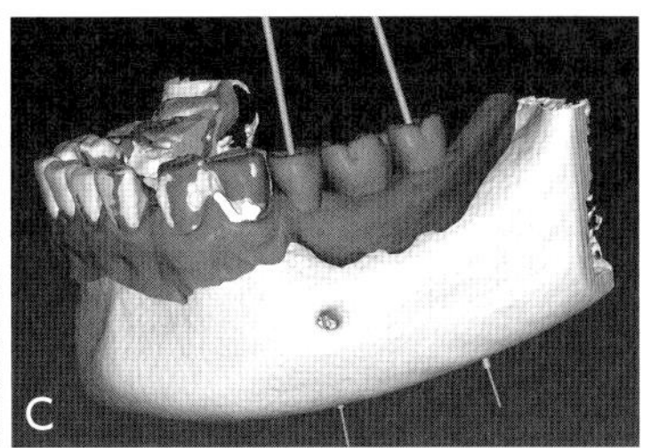

図 35　アーチファクトの少ない部分欠損症例における治療計画の立案

A:光学印象採得による口腔内のスキャン画像, B:CBCT 撮像による顎骨の 3D 画像, C:重ね合わせの後に欠損部顎堤にデジタルワックスアップを行い，治療計画を立てる．

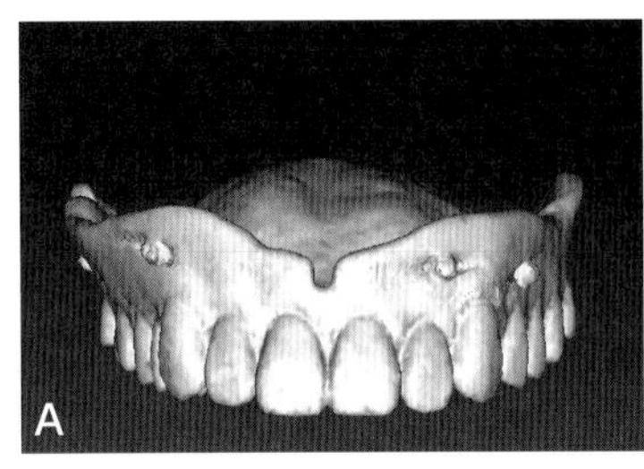

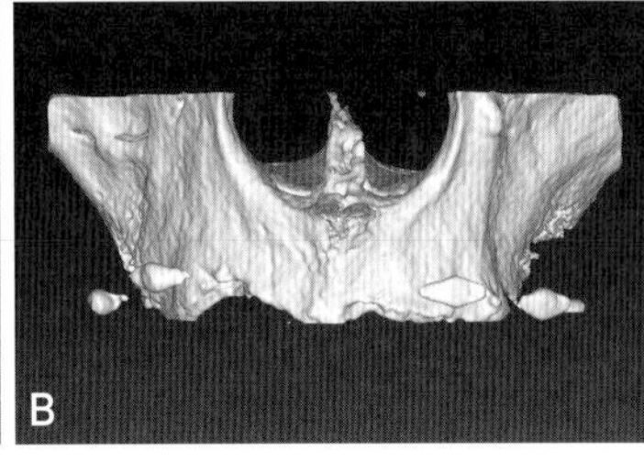

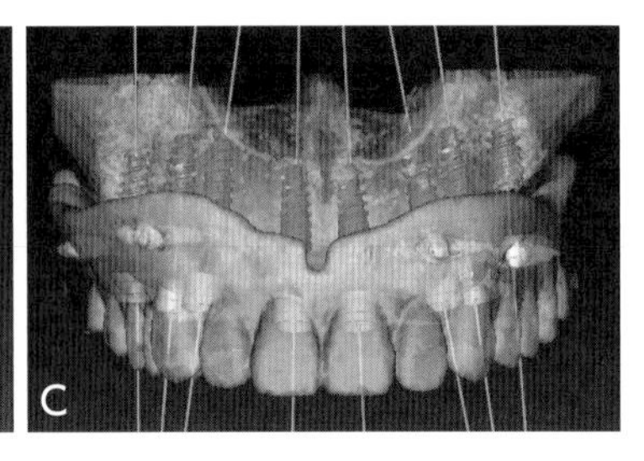

図 36　無歯顎症例における治療計画の立案

A：マーカーを組み込んだ CT 撮像用テンプレート単体の CBCT 撮像による 3D 画像，B：CBCT 撮像による顎骨の 3D 画像，C：重ね合わせの後に治療計画を立てる．

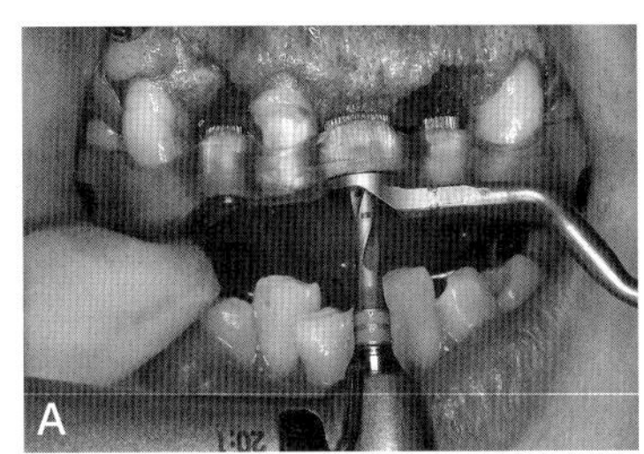

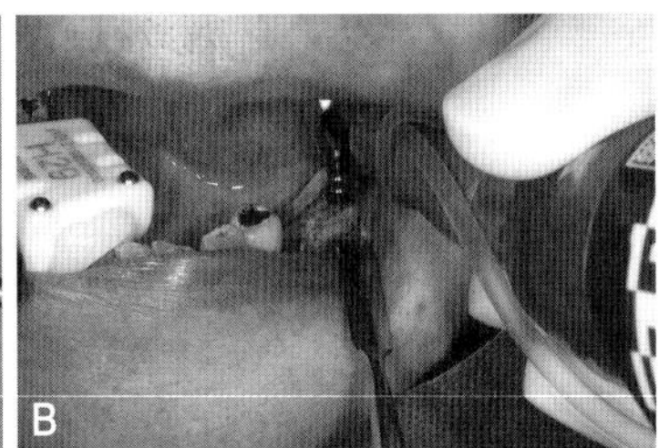

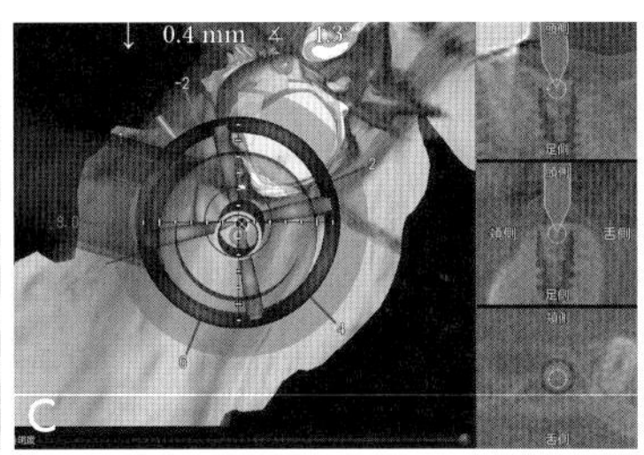

図 37　埋入手術

A:フルガイドのサージカルガイドプレートを用いた埋入手術, B:コンピュータ支援によるナビゲーション手術, C:モニターにトラッキングされたドリルやインプラント体がリアルタイムで表示される．

得られた 3D 画像からは補綴主導の治療計画を立案する．計画したインプラント体と上顎洞や下歯槽神経などとの解剖学的位置関係，隣接する天然歯や複数のインプラント間の距離や角度なども詳細に確認することができる．さらにはアクセスホールの位置やアバットメントおよび上部構造の形態を術前に検討することも可能である．

3. サージカルガイドプレートを用いた埋入手術およびコンピュータ支援によるナビゲーション手術

計画した位置にドリリングおよび埋入が可能なガイドスリーブが装着されたサージカルガイドプレートを 3D プリンタなどで製作する．ガイドプレートの安定が残存歯への支持のみでは不十分な場合や無歯顎症例においては，必要に応じてガイドプレートを固定するためのアンカーピンを配置する．基本的にはドリリングから埋入までのすべてをガイドするフルガイドのガイドプレートを製作するが，フルガイドのガイドスリーブが隣在歯に接触し製作できない場合は最初に用いるパイロットドリルだけをガイドするドリルガイドを製作する．なお埋入手術には専用の外科キットを用いる（**図 37A**）．

サージカルガイドプレートを用いた埋入手術は，フリーハンドに比べ正確な埋入が可能であるが，専用のドリル長が長いため開口量不足の症例では使用が困難であること，ガイドプレートを装着するため注水が骨面に届きづらいこと，ガイドスリーブを介したドリリングや埋入のため骨質や初期固定の獲得度合を把握しづらいこと，近遠心距離の狭い中間 1 歯欠損症例においてはパイロットドリルしか使用できないこと，術中のガイドプレートのたわみや破折・破損のリスクなどの問題点がある．これらを解消する術式としてサージカルガイドプレートを使用しないコンピュータ支援によるナビゲーション手術が活用され始めてきている．本手法は三角測量法を応用し，埋入窩形成時のドリルや埋入中のインプラント体の位置情報をリアルタイムに視覚化でき，フリーハンド手術の利点を活かした精度の高い埋入手術が可能であるとされている[93]（図 37B，C）．

4．光学印象を用いた上部構造製作のための印象採得

埋入されたインプラント体の種類やサイズに対応した光学印象用コーピングであるスキャンボディをインプラント体に連結し口腔内のスキャンデータを採得する（図 38A，B）．すでに装着されているプロビジョナルレストレーションの形態を最終上部構造に反映させたい場合は，上記スキャンに加えて，プロビジョナルレストレーションを装着した状態の口腔内のスキャンデータ，およびプロビジョナルレストレーション自体のスキャンデータを採得する．それらのデータを CAD ソフト上で重ね合わせることでプロビジョナルレストレーションの形態を反映した最終上部構造を製作することが可能である（図 38C）．

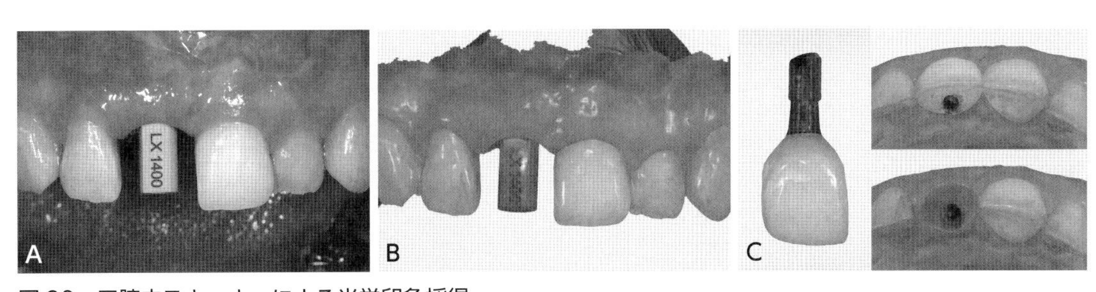

図 38　口腔内スキャナーによる光学印象採得
A：スキャンボディをインプラント体に連結し光学印象採得を行う，B：採得された口腔内のスキャン画像，C：プロビジョナルレストレーション装着および非装着状態の口腔内スキャンおよびプロビジョナルレストレーション自体のスキャンを行う．

5．CAD/CAM を用いた上部構造の製作（図 39）

最終上部構造は，口腔内スキャナーにより得られたスキャンデータを元に CAD/CAM システムを用いて設計し，ミリングにより切削加工される．切削可能な材料は，セラミックス，ジルコニア，チタン，コバルトなど多様であり，アバットメントや単独の上部構造からフルブリッ

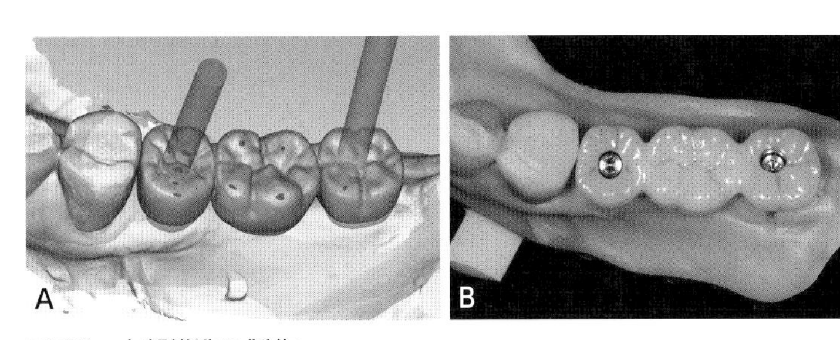

図 39　上部構造の製作
A：CAD による最終上部構造のデザイン，B：CAD/CAM により製作したモノリシックジルコニアの上部構造を 3D プリンタで製作した模型に装着した状態．

ジまで製作可能である．CAD/CAMによる上部構造製作の精度は少数歯においては問題ないものの，多数のインプラント体を連結する上部構造の製作においては，精度を確認するためにポジション確認用ジグ（**p.67参照**）を用いて各インプラント体の位置情報を採得しておく必要がある．

補綴物は正確には補綴装置です

クラウンや義歯などの総称はいまだに「補綴物」と呼ばれることが多いようです．しかし歯科補綴学専門用語集の第2版（2004年発行）では「補綴物」が，第3版（2009年発行）からは「補綴装置」が選定用語とされています．2018年発行の日本歯科医学会学術用語集第2版（2018年発行）でも「補綴物」は「補綴装置」へ書き換えられています．古くから使っている用語を変えるには時間とエネルギーが必要ですが，最新の用語集を確認して使うようにしましょう．

16章　広範囲顎骨支持型装置と広範囲顎骨支持型補綴

1. 広範囲顎骨支持型装置と広範囲顎骨支持型補綴の定義

2012年の歯科診療報酬改定より，それまで先進医療として運用されていた「インプラント義歯」が，従来のブリッジや有床義歯では咀嚼機能回復の困難な患者に対する「広範囲顎骨支持型装置」および「広範囲顎骨支持型補綴」として保険導入された．

「広範囲顎骨支持型装置」とは，「広範囲な顎骨欠損等の特殊な症例に対して応用する人工的構造物」すなわちインプラント体をいい，「広範囲顎骨支持型補綴」とは，「広範囲顎骨支持型装置埋入手術後から当該装置の上部に装着されるブリッジ形態又は床義歯形態の補綴物が装着されるまでの一連の治療」と定義されている[94]．自由診療で行われているものとの混同を避けるため，インプラントの名称は用いず，保険手術名は「広範囲顎骨支持型装置埋入手術」とされた[95]．

2. 適用条件

適応疾患は，当初，歯周病および加齢による骨吸収を除き，腫瘍，顎骨骨髄炎，外傷などにより広範囲な顎骨欠損・歯槽骨欠損の症例とされた．その後，先天性疾患にも適応が拡大され，唇顎口蓋裂や先天性部分無歯症なども含まれるようになった．2年ごとの診療報酬に伴って，点数や条件が見直されており，2024（令和6）年6月の時点で，適用可能な症例は**表25**のとおりである．

表25　広範囲顎骨支持型装置埋入手術の算定要件：2024（令和6年）6月改訂

	従来のブリッジや可撤性義歯（顎堤形成後の可撤性義歯を含む）では咀嚼機能の回復が困難な患者に対して実施
適応イ	腫瘍，顎骨嚢胞，顎骨骨髄炎，外傷などにより，広範囲な顎骨欠損もしくは歯槽骨欠損症例（歯周病および加齢による骨吸収を除く）またはこれらが骨移植などにより再建された症例 ●適応される欠損範囲 上顎：連続した4歯相当以上の顎骨欠損症例，または上顎洞または鼻腔への交通が認められる顎骨欠損症例 下顎：連続した4歯相当以上の歯槽骨欠損，または下顎区域切除以上の顎骨欠損症例
適応ロ	医科の主治医の診断に基づく外胚葉異形成症などまたは唇顎口蓋裂などの先天性疾患であり，顎堤形成不全であること
適応ハ	医科の主治医の診断に基づく外胚葉異形成症などの先天性疾患であり，連続した⅓顎程度以上の多数歯欠損であること
適応ニ	6歯以上の先天性部分無歯症または前歯および小臼歯の永久歯のうち3歯以上の萌出不全（埋伏歯開窓術を必要とするものに限る）であり，⅓顎程度以上の多数歯欠損（歯科矯正後の状態を含む）であること

また，広範囲顎骨支持型装置埋入手術を実施するにあたっては，施設基準が設けられており，①歯科または歯科口腔外科を標榜している保険医療機関であること，②当該診療科に係わる5年以上の経験および当該診療に係わる3年以上の経験を有する常勤の歯科医師が2名以上配置されていること，③病院であること，④当直体制が整備されていること，⑤医療機器保守管理および医薬品に係わる安全確保のための体制が整備されていること，などの条件を満たす必

要がある．

3．骨移植，再建術式

外傷や腫瘍切除などによって顎骨が欠損すると形態的，機能的な問題が生じる．顎骨欠損に対して種々の再建方法が検討されてきたが，広範囲顎骨支持型装置は，このような顎骨欠損症例の咬合の再建にも適応される．顎骨欠損に対する再建は，金属プレートや（遊離）自家骨移植などの血流のない材料による方法と血管柄付き骨移植など血流を有する材料を用いる方法の2つに分けられる．小さな骨欠損では，主に自家骨移植やGBR法などの骨造成方法が適応される．一方，大きな顎骨欠損では血管柄付き骨移植などが施行される．

具体的な例をあげると，下顎辺縁切除症例は，顔貌などの審美的な障害は少ないものの歯槽骨が高度に萎縮し，通常の補綴治療が困難となる．インプラント義歯や顎義歯などによる咬合再建には，骨造成が必要になることが多い．下顎区域切除症例では下顎骨の連続性が失われるため，これを回復させるための硬性（骨性）再建が行われる．大きな顎骨欠損に対する血管柄付き骨移植では，主に腸骨，腓骨，肩甲骨から骨を採取する．日本形成外科学会・日本創傷外科学会・日本頭蓋顎顔面外科学会の形成外科診療ガイドラインによると，上顎，下顎ともに硬性再建が推奨されている[96)]が，エビデンスレベルは高くない．血管柄付きの骨移植が行われた場合も，再建顎骨は解剖学的形態とは大きく異なっていることも多い．このため再建顎骨に広範囲顎骨支持型装置を埋入する場合は，CTデータによるシミュレーションなどが重要で，補綴装置を装着するまでに付加的な骨移植や顎堤形成術などの手術が必要になることがある．

4．広範囲顎骨支持型補綴

1）ブリッジ形態の広範囲顎骨支持型補綴

ブリッジ形態の補綴では，補綴装置が受ける咬合力はすべて広範囲顎骨支持型装置で負担されるため，支持型装置の本数，配置位置，長さには配慮が必要である．通常，固定性補綴装置として製作されるため，着脱の必要がなく患者満足度の高い治療方法と考えられる（**図40**）．

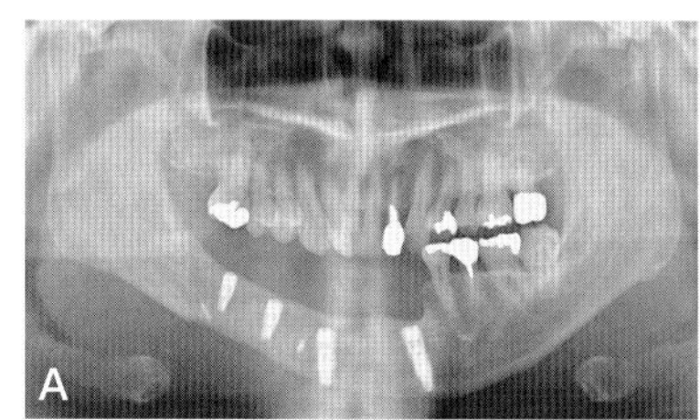

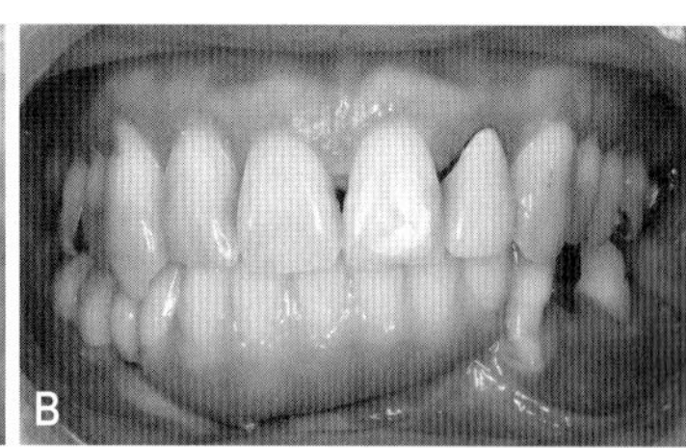

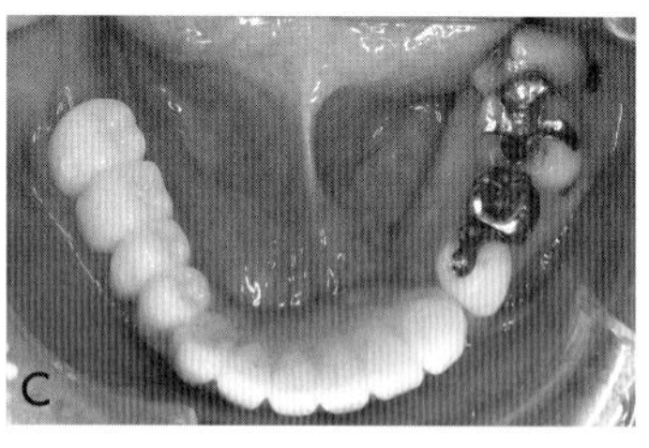

図40　ブリッジ形態の広範囲顎骨支持型補綴（右側下顎区域切除後の再建例）
A：広範囲顎骨支持型装置埋入手術後のパノラマエックス線画像
B：最終補綴装置（正面）
C：最終補綴装置（咬合面）

2）床義歯形態の広範囲顎骨支持型補綴

広範囲顎骨支持型装置の埋入本数が限られる場合には床義歯形態の可撤性補綴装置を選択することで，補綴装置が受ける咬合力を顎堤粘膜にも分散させることができる．床義歯形態の患者可撤性補綴装置は，清掃性に優れ，口腔内の経時的変化による新たな歯の欠損にも対応しやすい．また，鼻腔や上顎洞との交通が存在する場合は，塞栓子が必要となるために，通常，可撤性の床義歯形態の補綴装置が選択される（**図 41**）．

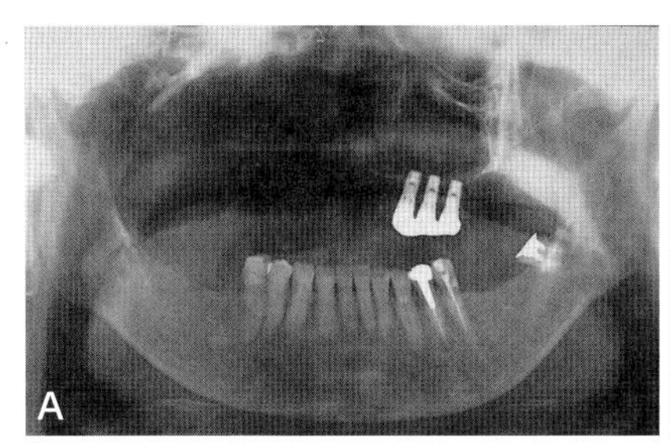
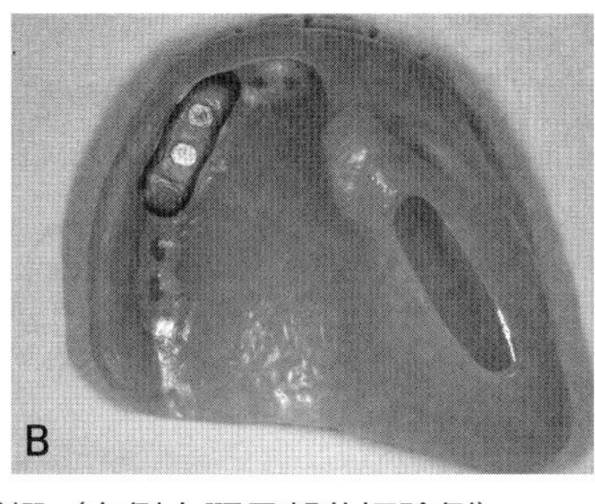
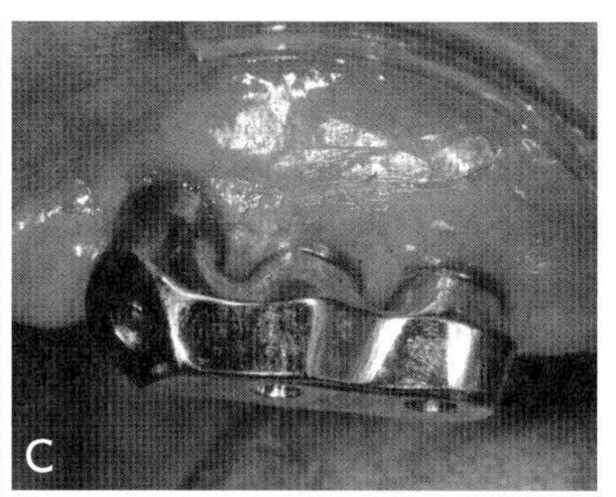

図 41　床義歯形態の広範囲顎骨支持型補綴（右側上顎骨部分切除例）
A：最終補綴装置装着時のパノラマエックス線画像
B：栓塞子付き最終補綴装置（粘膜面）
C：バーアタッチメント

17章 インプラントのメインテナンス

上部構造は生体内の顎骨から生体外である口腔に貫通して存在する．そのため，常に外部環境である口腔からの影響を受けており，治療終了後に上部構造が周囲環境と調和し長期にわたりその機能を維持するには，プラークや咬合力のコントロールなどのメインテナンスを継続的に行う必要がある．

術者が行うインプラントのメインテナンスの目的は，インプラント体，アバットメントおよび上部構造の異常の有無，咬合状態，インプラント周囲軟組織および歯周組織の健康状態，口腔清掃状態，ならびにエックス線検査によって周囲骨の状態などを評価し，異常があった場合は早期に対応し，病状の進行を阻止することである．インプラント周囲組織の評価は歯周組織検査に準じて行う．

さらに，インプラントのメインテナンスとして患者自身が行うホームケアも重要である．そのため適切な器具を適切に用いることで確実なプラークコントロールができるよう指導する必要がある．

1．インプラント周囲組織のメインテナンス

メインテナンスでは，一口腔単位で歯周組織検査とそれに準じたインプラント周囲組織検査を用いて継続的にモニタリングする．すなわち歯肉炎・歯周炎とインプラント周囲粘膜炎およびインプラント周囲炎の主な原因であるプラークの付着状況を検査し，歯とインプラント周囲の歯肉粘膜の炎症の状況を的確に把握する．

1）プラークコントロール

口腔の衛生状況とインプラント周囲粘膜炎およびインプラント周囲炎の発症ならびに進行との間には密接な関連が指摘されている．良好なプラークコントロールを維持することは，一口腔単位での歯周組織の維持・安定，ならびにインプラント周囲の支持組織の維持・安定においても重要である．

プラークコントロールの客観的な評価法として，Silness & Löw のプラーク指数（plaque index：PI），プラークコントロールレコード（plaque control record：PCR）に準じた検査法，また，インプラント周囲の清掃状態の客観的指標としては，改良型プラーク指数（modified plaque index：mPI）[97] を用いることができる．

さらにプラークコントロールの悪い患者には，**表 26** で示すような器具を適切に使用するよう指導する必要がある．

2）インプラント周囲粘膜の炎症の状態

プラークコントロールが不良で，プラークがインプラント周囲溝部に付着するとインプラント周囲炎を起こすことがある．インプラント周囲粘膜の炎症の評価法として，歯周組織の場合と同様に日常のプラークコントロールの状況を指標にする．インプラント周囲粘膜の健康や炎症の客観的評価法として，プローブの擦過による辺縁粘膜部の出血を評価する改良型出血指数（modified sulcus bleeding index：mBI）[97] がある．インプラント周囲粘膜の状態の把握はインプラント周囲粘膜炎とインプラント周囲炎を診断するうえできわめて重要である．

3）プロービング検査

インプラントと周囲粘膜との付着は脆弱であるため，プロービングを行う際は軽圧（0.25

表 26　ホームケア用の器具

器具	特徴	注意点
歯ブラシ	周囲軟組織との界面を広い面で清掃可能	毛先の方向や圧について十分な清掃指導が必要
歯間ブラシ	連結された上部構造などで有効	サイズや材質の選択に注意が必要
デンタルフロス	ポンティック基底面や狭い歯間部の清掃に有効	患者自身で行うには練習が必要
スーパーフロス		
電動ブラシ	ブラシの届きにくい部位や手先の不自由な患者に有効	機種によって振動の力や毛先の硬さが違うため注意が必要
音波ブラシ		

N またはそれ以下）で慎重に行う必要がある．ただしプロービング深さの変化量はインプラント周囲の炎症状態と相関するという報告[98]がある一方で，炎症の重症度とプロービング深さとの相関は低いという報告[99]もある．

プロービング時には，インプラント周囲粘膜の封鎖圧を触知できるとともに，炎症の指標として排膿や BOP（bleeding on probing）として確認できる．測定においては，インプラント体の表面を傷つけないようにプラスチックプローブを使用するほか，プロービング圧や挿入方向を誤ることで粘膜を傷つけないよう注意する．

4）インプラント体の動揺

経過観察時には，インプラント体および上部構造の動揺の有無を確認する．インプラント体が動揺していれば，オッセオインテグレーションが喪失している．上部構造のみが動いていれば，アバットメントと上部構造の連結部あるいはアバットメントとインプラント体の連結部に問題が生じている．

5）口内法によるエックス線検査（p.33 参照）

定期的なエックス線検査では，インプラント周囲の辺縁骨の状態を把握し，辺縁骨レベルを継続的にモニタリングし，年間の骨吸収量を確認する．インプラント成功の基準は機能負荷後の辺縁骨の平均吸収量が年間 0.2 mm 未満であるとされている（トロント会議，1998）．

インプラント周囲炎の診断となるエックス線上での骨吸収は，インプラント体埋入に伴うリモデリング以後の吸収量の増加，過去の検査データがない場合には 3 mm 以上の骨吸収とされる[100]．

6）細菌検査

歯周病のハイリスク患者（広汎型侵襲性歯周炎，広汎型重度慢性歯周炎，全身疾患関連歯周炎，喫煙関連歯周炎の既往のある患者）では，インプラント周囲溝の滲出液あるいは全唾液を用いて歯周病原細菌の検査を行うことがある．

7）咬合関係の確認

オッセオインテグレーテッドインプラントでは，直接インプラント体がインプラント周囲骨と結合しているため，ブラキシズムや咬合関係の変化に起因する咬合性外傷により急速にインプラント周囲骨の吸収やオッセオインテグレーションの喪失が起こることがある．メインテナンスでは，咬合関係の不調和や過重負担の有無を確認し，適切な咬合関係に調整する．

2. インプラント上部構造のメインテナンス

咀嚼機能開始から，上部構造は咬合力などの力とプラークの影響を受け，機械的不具合および生物学的不具合が起こることがある．

上部構造を長期に安全・安心に使用するためには，**表 27** の項目を確認し，早期に原因に対応し，より重篤な不具合の発生の防止に努める．スクリューの緩みおよび破損，上部構造の破損，インプラント体の破折ならびにインプラント周囲炎への対応については，次章「18 章 口腔インプラント治療に関連して発生する事象と対応」にて詳述する．

表 27　インプラント上部構造のリスクに対するチェック項目

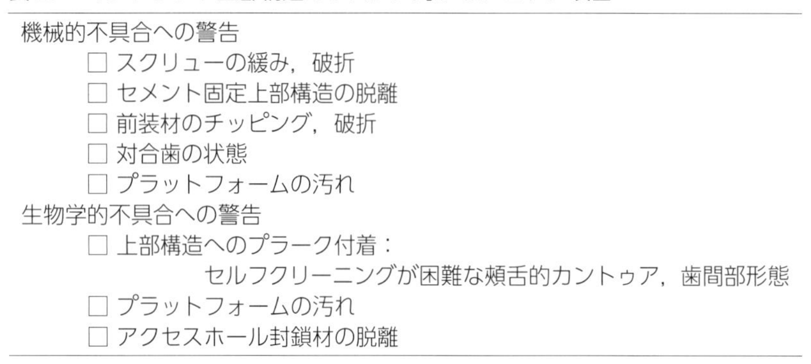

機械的不具合への警告
- □ スクリューの緩み，破折
- □ セメント固定上部構造の脱離
- □ 前装材のチッピング，破折
- □ 対合歯の状態
- □ プラットフォームの汚れ

生物学的不具合への警告
- □ 上部構造へのプラーク付着：
  セルフクリーニングが困難な頰舌的カントゥア，歯間部形態
- □ プラットフォームの汚れ
- □ アクセスホール封鎖材の脱離

18章　口腔インプラント治療に関連して発生する事象と対応

1．インプラント治療の成功の基準（表28）

現在のインプラント治療の成功の基準は，インプラント体と上部構造に対する評価とともに，患者側からみた治療に対する評価が加えられているのが特徴である．すなわち，インプラント治療の目的は口腔関連のQOL，ひいては全身のQOLの向上にあることが強調されている．

表28　インプラント治療の成功の基準（1998年，トロント会議）

- インプラントは，患者と歯科医師の両者が満足する機能的，審美的な上部構造をよく支持している．
- インプラントに起因する痛み，不快感，知覚の変化，感染の徴候などがない．
- 臨床的に検査するとき，個々の連結されていないインプラント体は動揺しない．
- 機能開始1年以降の経年的な垂直的骨吸収は1年間で0.2 mm以下である．

2．インプラント手術に関連して発生する事象と対応

1）感染

インプラント手術に関連して起こる感染のほとんどが，術中・術後の細菌感染である．創部の感染予防のために術前抗菌薬投与が勧められる．プラークコントロールの不良や，周囲組織に感染源が認められる状態で処置を行うと感染リスクが高まる．また，全身状態の悪化や服用薬剤により易感染性を呈する場合もあり，注意深く術前の全身状態を診察する．術後は慎重な創部の経過観察が必要である．また，手術に使用する器具・器材は確実に洗浄や滅菌を行う．

インプラント手術後，侵襲に伴う炎症が周囲組織へ拡大することがある．

(1) 上顎洞炎

上顎臼歯部のインプラント治療を行う場合，顎骨の量や上顎洞までの距離などを検査しておくことが重要である．上顎洞までの距離が短い場合は，上顎洞底挙上術，インプラント体の傾斜埋入やショートインプラントなどを用いる．インプラント体埋入手術時に埋入窩形成用ドリルなどが洞内に穿孔し上顎洞粘膜を損傷した場合や，上顎洞底挙上術を行った場合などに上顎洞炎を引き起こすことがある．また，インプラント体や移植骨が上顎洞内へ迷入し，上顎洞炎が惹起されることもある．

臨床症状としては，鼻漏や疼痛など歯性上顎洞炎と同様の症状を呈する．軽度であれば抗菌薬の投与などで改善する．炎症が遷延する，他の副鼻腔まで炎症が及ぶ例や，インプラント体や異物が上顎洞内部に残留するなどの場合は，インプラント体や異物の外科的な摘出，耳鼻咽喉科的な治療が必要となることがある．このような場合は，高次医療機関への対診，加療依頼が必要となる．

上顎洞炎を予防するには，CTなどによる検査，的確な診断，正確な手技，抗菌薬の術前予防投与が勧められる．また，上顎洞炎を正確に診断する能力や治療に関する知識，技術を備えておくことも重要である．

(2) 骨髄炎，薬剤関連顎骨壊死，放射線性骨髄炎

手術後の炎症が周囲組織に波及したり，ドリリングの熱により組織の壊死を惹起して，骨髄炎に進展することがある．骨髄炎などの炎症症状は，皮質骨の厚い下顎に起こることが多い．

骨粗鬆症や悪性腫瘍の治療で骨吸収阻害薬などを投与されている場合，インプラント治療が薬剤関連顎骨壊死を引き起こす可能性がある．また，頭頸部がんなどの悪性腫瘍の治療で顎骨に放射線照射を受けている場合，放射線性骨髄炎を生じることがある．いずれも十分な既往歴や服用薬剤の聴取，術前の診察が重要である．

2）神経損傷

インプラント体埋入手術やインプラント関連手術における神経損傷は，オトガイ神経，下歯槽神経，舌神経，頬神経，眼窩下神経，鼻口蓋神経などで生じやすく，局所麻酔施行時や手術時の不適切な器具の操作によるものが多い．

オトガイ孔付近の粘膜や骨膜の切開，剝離操作の際にオトガイ神経が過度に牽引もしくは損傷されると知覚鈍麻などの神経症状が生じる．また，吸収した歯槽骨や骨が軟らかい場合は，インプラント体埋入時に下歯槽神経損傷を起こしうる．舌神経の損傷は，オトガイ神経や下歯槽神経と比較して頻度は少ないものの，症状が重篤で医事紛争になりやすい．

神経損傷の予防には，解剖学的な神経の走行を十分に理解することが重要である．下顎臼歯部の治療では，下歯槽神経や下顎臼歯部舌側の舌神経の走行に注意する．特に，歯槽骨の吸収などの変化に伴い教科書的な神経の走行と大きく異なる場合があることに留意する．オトガイ孔や下顎管，鼻口蓋管などは，CT などの画像検査で位置を確認する．術前の CT 検査の結果からの手術シミュレーションにおいてそれらを十分に確認し，距離に余裕をもったインプラント体を選択することが重要である．また，術中も埋入深度に注意し，深く埋入しすぎないよう注意する．

神経損傷が起こると損傷の程度により完全回復が困難な場合がある．術後，神経症状を認めた場合は，投薬や星状神経節ブロックなどが可能な専門医に対診を求める．対応は早ければ早いほど有効であるという報告もある．

3）上顎洞や口腔底，その他組織間隙へのインプラント体の迷入

上顎洞への迷入は，上顎臼歯部へのインプラント体埋入の際に上顎洞までの距離が短い場合や骨が軟らかい場合に起こりやすい．上顎洞へ迷入した場合，埋入窩からのアプローチ，犬歯窩や上顎洞底挙上術の骨窓形成に準じたアプローチなどで摘出する．埋入窩からのアプローチでは，視野が制限され，摘出が難しく埋入窩周囲に大きな骨欠損が発生し，再度のインプラント体埋入が制限されることに注意する．

また，下顎では口腔底にインプラント体が迷入することがある．典型的には，皮質骨穿孔後の埋入操作に伴ってインプラント体を迷入させる，カバースクリュー装着時にインプラント体を押し込むことで迷入させるような例が多い．口腔底への迷入は，下顎骨舌側の皮質骨を穿孔することで起こりうる．舌側粘膜を切開，剝離して動脈などに注意しながら口腔底にアプローチして摘出する．摘出困難な症例は，すみやかに適切な医療機関への摘出依頼を行う．

迷入の予防には，術前の CT 検査はもとより，術中の器具・器材の適切な取り扱いと慎重なインプラント体の埋入操作が重要である．CT データから 3D 模型を製作し，手術部位の形態を確認することも有用である．

4）出血

通常，適切な圧迫と縫合により止血可能である．しかし，下歯槽動静脈や顔面動静脈などを損傷した場合は，出血量が多くなりやすい．また，口腔底への器具の穿孔により主要な動脈（舌下動脈，オトガイ下動脈など）を損傷すると，止血困難となり，口腔底に大きな血腫を形成することがある．このような場合は，すみやかに出血点を確認し，血管の結紮や電気メスなどに

よる凝固など永久止血を行う．口底出血は，すみやかにドレナージされないと，血腫が急速に拡大し，短時間のうちに気道閉塞が起こる．このような場合は，生命の危機があるため，即時に気道確保（気管内挿管，輪状甲状間膜穿刺，気管切開）を行いつつ，高次医療機関への救急搬送を行う．

上顎臼歯部の上方には，下顎後静脈から分岐した静脈網である翼突筋静脈叢が存在する．静脈叢は，上顎骨体の後面，下顎枝後縁，頭蓋底にまで及ぶ．翼突筋静脈叢を損傷すると静脈性の出血を生じ，止血は頬骨弓と側頭筋の存在により困難である．

上顎洞底挙上術の際，上顎洞後側方部に後上歯槽動脈が出現することがある．後上歯槽動脈は，後上歯槽管を走行しCT などで確認できることがある．術中は超音波切削器具などを用いて，丁寧な操作で動脈を損傷しないよう注意する．また，出血時は電気凝固などで止血を行う．

その他，抗凝固療法などで薬剤を服用しているため出血傾向になっている場合や，何らかの薬剤の相互作用で出血傾向が増強されることがある．そのため術前の既往症や服用薬剤の確認が重要である．局所的な手術操作に問題がないにもかかわらず，出血が持続する場合は血液疾患などの可能性もあり，精査が必要である．

5）疼痛

インプラント手術で生じる疼痛は，一般的には術後に非ステロイド性抗炎症薬（NSAIDs）などの鎮痛薬を投与することで管理が可能であり，数日から1週間程度で落ち着くことがほとんどである．しかし，さまざまな原因により強い疼痛が継続することがある．その際には，疼痛を起こしている原因を正確に把握することが重要である．術後の異常な疼痛は，埋入窩形成時の刺激による骨の壊死（骨火傷）や続発する急性骨髄炎によることが多い．埋入手術は，十分な注水下で鋭利なドリルを用いて行い，組織への侵襲を軽減する．ときどきエンジンを止めてドリル自体を口腔外で冷却することも重要である．特に骨が硬い場合は，十分な注水とドリルの冷却により注意を払う．その他，術中の神経損傷による疼痛（神経障害性疼痛），上顎洞炎による疼痛，薬剤関連顎骨壊死，放射線性骨髄炎などの可能性がある．

治癒に必要と想定される期間を超えて持続する痛み，あるいは進行性の非がん性疼痛に基づく痛みを「慢性疼痛」という．おおむね3か月程度疼痛が持続する場合，心理社会的な要因もかかわり病態を複雑にする．また，治療を契機として，いわゆる非定型顔面痛など痛覚変調性疼痛を惹起することがある．原因がわからない場合や疼痛管理が困難なときは，口腔外科，ペインクリニックなど高次医療機関に対診を求める．

6）皮下気腫

切削器具などによる操作時に圧縮空気が組織間隙に侵入し，皮下や疎性結合組織内に貯留することで生じる．深頸部感染症，縦隔炎を合併した場合，生命に危険を及ぼすこともある．皮下気腫は（MD）CT で気腫の範囲を確認することが重要である．CBCT では頸部の気腫までは確認できないため注意する．

7）（器具・器材の）誤飲，誤嚥

インプラント治療には小さな器具・器材を使用することが多く，治療中に誤飲，誤嚥を起こすことがある．特に静脈内鎮静法施行下や高齢者の場合は，反射機能が低下しており慎重に処置を行う．予防には，器具・器材に落下防止用の糸を結ぶ，口腔内に落下防止用ガーゼを広げるなどの対応策を講じる．口腔内に器具・器材を落とした場合は，患者に嚥下運動を控えさせる．また，チェアを起こすと誤飲・誤嚥を助長するため，水平横臥位とする．

誤飲・誤嚥が疑われた場合には，ただちに胸部および腹部のエックス線検査を行い，器具・器材の存在と場所の特定が必要である．消化管内の場合には内視鏡を用いた摘出や自然排出を待つ．気管内にある場合は，気管支鏡での摘出などが必要である．いずれにしても歯科医院での対処は困難なため，誤飲・誤嚥が疑われたら高次医療機関に対診，加療を依頼する．誤嚥では呼吸困難を起こすこともあり，一刻を争う場合も多い．

8）器具・器材の破損

切削器具や埋入深度を測定する器具など，比較的細い器具を使用する際，不適切な力を加えると破損することがある．また，適切に使用していても頻回の使用により破損することがある．破損を防ぐためには，単回使用の器具・器材を使用するか，システムが推奨する使用回数で交換する．

9）インプラント体のスタック

骨が硬い場合，埋入窩を形成しても，埋入途中でインプラント体が強力な埋入トルクのため停止してしまうことがある．そのような場合には一度インプラント体を撤去し，タップドリルなどで再度埋入窩を形成し直す必要がある．

10）インプラント体の動揺，埋入窩の過形成と形成部位の誤り

骨が軟らかい場合などに適正な初期固定が得られず，インプラント体が動揺する場合がある．また，骨が硬い場合にドリルを強い力で押しつけると，ドリルが側方にぶれて埋入窩が大きくなり，インプラント体の固定が得られなくなることもある．このような場合は動揺したインプラント体よりも直径が太い，もしくは長いインプラント体を埋入して対応する．いったん埋入手術を中止し，骨の治癒期間を設け再埋入することもある．

埋入窩の位置設定を誤ったため咬合に参加できない位置にインプラント体を埋入してしまった場合は，インプラント体を撤去して再埋入するか，スリーピングとする．

3. インプラント補綴に関連して発生する事象と対応

1）器材の誤飲・誤嚥

補綴治療においては埋入手術よりもさらに細かい器具・器材を使用することが多いため細心の注意が必要である．印象採得における印象用コーピング装着時，上部構造の試適時などにスクリューを誤飲・誤嚥するリスクがある．誤飲・誤嚥が疑われた場合には前述のように対応する．

2）スクリューの緩み，破折

適正な締結力で締結されたスクリューであっても，スクリュー部への過大な応力の繰り返しがスクリューの緩みや破折を引き起こす．咬合力そのものが強い場合やブラキシズムがある場合，あるいは通常の咬合力であっても応力の増幅因子（**表 29**）が関与している場合には，スクリューの緩みや破折が起こりうる．連結冠では個々のスクリューの緩みはわかりにくいので，

表 29　応力の増幅因子

- 本数不足
- カンチレバー
- 不良な歯冠インプラント比
- インプラント径に比べ広すぎる頬舌径
- 傾斜埋入
- 側方力（咬頭傾斜，側方ガイド）
- 適合不良　など

リスクが高そうなものは定期的にチェックを行うことが望ましい．

またアクセスホールの封鎖材料が脱落すると，インプラント体と上部構造との界面まで汚れの侵入を許すこととなる．そのためスクリューチェック後はしっかりと封鎖する．

(1) スクリューの緩み

アバットメントスクリューや補綴用スクリューに緩みが生じた場合は，外力の減弱を図るために，咬合と隣接面コンタクトを確認し，調整後，トルクレンチを用いて適正なトルク値でスクリューを締める．また，必要に応じてスクリューを交換する．ブラキシズムの強い患者にはナイトガードの装着が推奨される．

(2) スクリューの破損

アバットメントスクリューや補綴用スクリューが破損した場合は，探針や専用の器具を用いて締結方向の反対に回転させ，撤去する．この際，インプラント体の内ネジが傷つかないよう注意する．上部構造の再装着時は咬合調整を十分に行う．撤去により内ネジが傷ついた場合は，専用器具を用いて内ネジを再度切り直す．アバットメントスクリューが除去できない場合は，インプラント体の撤去が必要となることもある．

3) インプラント体，アバットメントの破損

不適合なアバットメントや上部構造を規定トルクで締結した際に，アバットメントやインプラント体の破損をきたす場合がある．事前に上部構造やアバットメントの適合検査を十分に行い，問題のないことを確認してから規定トルクで締結する必要がある．

4) 暫間上部構造の破損

暫間上部構造の装着が長期にわたると破損のリスクがある．多くの場合は常温重合レジンにて修理することが可能である．患者には破損のリスクについて事前に十分説明する必要がある．暫間上部構造の破折は，上部構造の強度不足が原因でインプラント体に偏った負荷が生じ，オッセオインテグレーションを障害することがある．

5) 上部構造の破損

上部構造の破損が起こりやすいのは，前歯部，咬合面部の材料（陶材やレジン）の破折である．この場合は，上部構造をいったん外し修理が必要となる．

上部構造の破損は，強い咬合力，ブラキシズム，アクセスホールの位置，フレームワークの設計，フレームワークの適合性などが原因となるので，メインテナンス時に上部構造の摩耗，陶材やレジンなどの前装部（特にアクセスホール周囲）の亀裂，フレームワークの適合性，咬合（早期接触や咬頭干渉の有無）の確認を行う．破損が認められた場合は，破損の原因を究明し，場合によっては設計変更も含めたフレームワークからの再製作も考慮する．また，破折前にはスクリューの緩みがみられることが多い．

(1) 前装部（陶材，ハイブリッドレジンや硬質レジン）の破損

破損が小さく，機能的，審美的に問題がない場合は，咬合調整（A コンタクトを消去，あるいはBC コンタクトでの接触強度を減弱する）を行い研磨で対応する．破損が大きく，上部構造を口腔内から撤去できる場合は，模型上で前装部の修理を行う．上部構造の口腔内からの撤去が難しい場合は，適切な表面処理を行ったうえで口腔内にて直接法によりコンポジットレジンで修復を行うこともある．上部構造装着後の咬合調整が不適切であると前装材の破損が生じる．また，ブラキシズムの強い患者にはナイトガードの装着が推奨される．

(2) メタルフレームワークの破損

ボーンアンカードブリッジやロングスパンブリッジにおいて破損を生じた場合は，アバット

メントレベルで印象採得を行い，模型上で破折部位のろう着や溶接を行う．

(3) オーバーデンチャーにおけるバーやアタッチメントの破損

バーなどのアタッチメントが破損した場合は，模型上での修理(破損したバーのろう着など)，アタッチメントの交換，さらにはアタッチメントの種類の変更を行う．破損したままにしておくと，上部構造の破折や変形が起こり，修理が困難となることがあるため，不具合に気づいたら早期に対応しなければならない．

6) 上部構造の脱離

インプラント体にセメント固定された上部構造では，単冠ではそのまま脱落するのに対し，連結冠やブリッジでは一部の箇所のみ脱離し浮き上がることがあるため1歯ごとの確認が必要である．脱離している際は，接着手技や材料だけでなく咬合や適合に原因があることも多いため精査すべきである．

7) 上部構造の審美障害

前歯部においてはインプラントと天然歯間での粘膜ラインのギャップやブラックトライアングルが生じ，審美障害となる場合がある．術前に審美障害の可能性について十分説明しておくことは非常に重要である．審美障害が生じた場合は，状況により二次的な骨移植や結合組織移植などの対策を講じる必要もある．

8) インプラント周囲溝へのセメントの残留

上部構造の仮着もしくは合着の際，溢出したセメントがインプラント周囲溝に残留すると，後にインプラント周囲炎を引き起こす原因となる．特に歯肉縁下の深い位置にアバットメントのマージンを設定した場合に溢出したセメントが残存することがある．

9) プラットフォームの汚れ

上部構造を撤去した際にプラットフォームに汚れがある場合には，上部構造の不適合，あるいは過重負荷により生じる上部構造のギャップの存在が疑われる．スクリューの緩みが先行して起こっているようであれば，まず咬合調整を行う．咬合調整後もプラットフォームに汚れが付着する場合は，フレームワークを再製作する．

ただしメインテナンスのたびに上部構造を撤去することは，インプラント周囲の軟組織封鎖を破壊するとの報告もあるため注意が必要である．

10) 上部構造へのプラーク付着

上部構造の不適切なカントゥアや歯間部形態により，セルフクリーニングを徹底しても，良好なプラークコントロールを期待できない場合がある．その場合，上部構造の粘膜縁上，縁下のカントゥアの修正を行い，プラークの蓄積が少なく，歯ブラシ，フロスや歯間ブラシなどのインスツルメントによるアクセスが容易な形態に修正する．

またある時期を境に，急激にプラークコントロールができなくなった際には，患者の全身状態や環境の変化などにも注意を配る必要がある．

4. 治療後に発生する事象と対応

1) インプラント周囲粘膜炎，インプラント周囲炎

経過時に起こりうるインプラント周囲の炎症は二つに分けられる．一つは炎症が周囲粘膜に限局しているインプラント周囲粘膜炎であり，もう一つは炎症が周囲粘膜のみならず周囲骨にまで波及したインプラント周囲炎である．インプラント周囲粘膜炎，インプラント周囲炎の主な原因は，細菌性プラークであり，歯周病の部位から検出される細菌叢に類似していることが

報告されている．また，インプラント周囲炎の部位からは，歯周病原細菌（*Porphyromonas gingivalis*，*Treponnema denticola*，*Tannerella forsythia*，*Actinobacillus actinomycetemcomitance* など）が高い比率で検出される．このためインプラントのメインテナンスでは，口腔清掃状態の確認，患者自身のインプラント維持に対するモチベーションの強化，専門家による徹底した原因因子（細菌性プラークなど）の除去，咬合関係の確認と必要に応じた調整を行う．

(1) 炎症に対する対応の基準

メインテナンス時にインプラント周囲粘膜炎またはインプラント周囲炎がみられた場合の対応策に関しては，確立した基準や治療法はない．しかし，長期にわたるインプラント治療の安定を導くには，いかにして的確に病的状態を早期発見し，適切に早期治療を行うか，そしてその予防や健康状態を維持するために日々の患者側のモチベーションを維持していくかが重要である．

(2) インプラント周囲粘膜炎

インプラント周囲粘膜炎は，硬組織に影響がみられない状態であるので歯肉炎に準じて治療を行う．基本的にはインプラント周囲溝内のプラークなどを取り除き洗浄を行う．歯石のように石灰化して容易に除去できない場合は，インプラント体の表面，特に鏡面加工を施してある部分を傷つけないようにプラスチック製スケーラーなどを用いて除去する．埋入深度が深く，上部構造やアバットメントを撤去しないと清掃が困難な場合は，上部構造を撤去し洗浄や歯石除去を行うとともに，上部構造の徹底的な清掃を行う．症状が強く発現している場合には，抗菌薬や含嗽剤の投与を行うこともある．

インプラント周囲粘膜炎の症状を繰り返さないように，またインプラント周囲炎へ移行させないために，効果的な口腔内清掃方法を指導するとともに，メインテナンス間隔の短縮を行う．

(3) インプラント周囲炎

インプラント周囲炎で骨吸収がみられる場合は，インプラント周囲組織に対する治療に追加して，インプラント体表面の処置も必要となる．基本的には粗面に付着したプラークを除去することは非常に困難で，治療法は確立されていないが，現在用いられている方法を以下に示す．

a) 非外科的治療

①口腔衛生指導

②プラスチック製スケーラーを用いたインプラント体周囲のデブライドメント

③殺菌効果のある洗口液の使用

④抗菌薬の投与

b) 外科的療法

①粗面の滑沢化

チタン製スケーラーや専用器具を用いて粗面を滑沢化し，鏡面に近い状態にすることでプラークを除去する．プラークの再付着を防止する効果が期待できる．しかし，骨との境界面の滑沢化が難しいことや，狭いポケット状の骨吸収を示す部位では，器具が届きにくく容易ではない．

②エアアブレーション

β-TCP などパウダーを用いてエアアブレーションを行い，粗面に付着したプラークなどの汚染物を除去する方法である．短時間での除染が可能であるが，気腫の発生やパウダーの軟組織内への迷入などの欠点もある．

③レーザー照射

粗面に付着したプラークを除去し，殺菌する目的でレーザーを照射する．主として Er：YAG レーザーが使用されている．しかし，インプラント体全周にむらなく照射することは非常に困難であること，また狭いポケット状の骨吸収部では確実性に欠けるなどの欠点がある．また，現在までのところ，Er：YAG レーザーのインプラント周囲炎への使用は適応外である．

上記方法により，インプラント体表面からの汚染物の除去が確実になされたと評価された場合は，GBR 法などの骨再生療法を行うこともある．

2）インプラント体の破損

インプラント体の破損は，ブラキシズムなどの過大な咬合力や繰り返し疲労による側方力，アバットメントスクリューの緩み，彎曲，破折などによるアバットメントの持続的な動揺が原因で起こることがある．プラットフォームの破折からインプラント体の垂直的，水平的破折が見られることがある．インプラント体が破折した場合は，専用器具やトレフィンバーを用いてインプラント体の撤去を行う．

3）インプラント体の脱落

上部構造装着後の咬合状態が不適切で，長期間インプラント体に過度な応力がかかるとオッセオインテグレーションの喪失につながる．また，口腔衛生状態が著しく悪い状況のまま長期間経過した場合にもインプラント体の脱落が起こる．

4）インプラント周囲骨の吸収と骨吸収による審美障害

インプラント周囲炎などが原因でインプラント周囲骨の吸収をきたした場合，軟組織の形態が影響を受け，特に前歯部においては審美障害が起こる．このような事態を避けるため，日常的にメインテナンスを十分実践することが必要である．

5）対合歯の損傷（痛み，動揺，歯根破折，骨吸収）

咬頭干渉や偏心位で応力が集中しすぎると，長期間経過中に対合歯が損傷することがある．強すぎる咬合力やブラキシズム，咬合調整の不足による対合歯への過重負担，失活歯であることもリスクとなる．口内法エックス線検査，プロービング，打診などで観察する．ナイトガードの装着，昼間のクレンチングの確認と意識，対合歯のフレミタスをチェックし，咬合調整を行う．

6）隣在歯の移動

インプラント体は埋入後に移動しないが，天然歯は経年的に移動するため，上部構造が天然歯に隣接する場合は定期的にコンタクトを調整する．コンタクトが緩い場合は食片圧入を惹起するリスクがあるため，隣接面に陶材やレジンを築盛することによりコンタクトの適正な回復を行うが，困難な場合は上部構造を再製作する．また，前歯部埋入の場合，経時的に隣在歯との切端や歯頸線の不調和を生じ，上部構造の修正が必要となることもある．

7）摩耗による咬合高径の低下

ブラキシズムや硬性食品の嗜好などは咬合高径の低下を招きやすい．上部構造と対合歯の補綴材料の組み合わせによって摩耗の進行程度は異なる．摩耗による咬合高径の低下は顎関節症につながることもある．必要に応じてナイトガードの装着を検討する．前装材料である陶材やレジンの築盛，あるいは上部構造の再製作により咬合高径を回復することもある．

8）審美障害

インプラントの埋入位置，角度，深度に起因するインプラント周囲組織の不足による審美障害については，歯肉色ポーセレンの利用など上部構造により改善を図る方法がある．周囲軟組織の退縮によるアバットメントやインプラント体の露出に対する処置としては，結合組織などの軟組織または骨組織，あるいはその両方を移植するなどの方法がある．

リップサポートやフェイシャルサポートの不足については，わずかであれば，上部構造の唇・頬側の形態修正で対応できるが，困難な場合はメゾストラクチャーを利用した上部構造もしくはオーバーデンチャーへ変更する．

9）全身状態

高齢化や病状の進行により，患者自身で口腔ケアができなくなることがある．固定性上部構造は複雑な形態をとることが多いため，上部構造自体を清掃しやすい構造にしたり，オーバーデンチャーの支台に改変したりする．また家族や介護者に対する清掃法の説明や指導も必要となる．

19章 口腔インプラント治療と医療問題

1．医事紛争発生時の対応

1）医事紛争の種類と判断

(1) 医事紛争・医療紛争・医療過誤・医療事故の違い

医事紛争とは医療機関と患者とのトラブルすべてをいい，その中で医療につき予期しない悪い結果についての争いを医療紛争という．さらにその中で悪い結果につき医療側に責任がある場合を医療過誤という．医療事故とは，医療にかかわる場所で医療の全課程において発生するすべての人身事故をいい，医療過誤は医療事故の一類型であるが，医療行為と直接関係のない場合や医療従事者が被害者の場合も含む（医療法における「医療事故」は第6条の10第1項に規定）．

(2) 医療過誤以外の場合の対応

医療過誤ではないのに医療過誤であると思い込み苦情を述べる患者もいる．このような誤解を避けるためには，インフォームド・コンセントが大切である．治療の長所ばかりではなく，リスクや副作用など短所についても説明し同意を得なければならない．とりわけ，インプラント治療は自由診療でもあり，過大な期待を抱く患者も多いので，書面による同意を取得すべきである．誤解による紛争の場合は，当事者同士ではらちがあかないことが多いため，第三者による冷静な意見，いわゆるセカンドオピニオンによって理解を求めるようにしたい．違法不当なクレームに対しては，毅然とした態度で臨み，他の患者や医療者に危険が及ぶようであれば，法的対処を検討されたい．

2）医療過誤の対応

(1) 事実の解明と誠実な謝罪

医療過誤を起こしたとき真っ先にすべきことは，患者の治療であることは言うまでもない．応急処置や専門医への紹介を検討する．なによりも患者の現在の症状を正確に把握することが必要であり，原因と再治療の可否を医学的に判断することが重要である．しかし，不信感をもった患者は，治療はおろか診察にすら来ないことが多い．その場合は，診療録やエックス線・CT画像などの資料とその患者を応対した歯科衛生士や歯科助手などスタッフ全員から事実を聴取し総合的に判断することが肝要である．そして早期に，患者に対して解明した事実を，カルテなどをもとに説明し，誠実に謝罪することである．なお，カルテなどの開示請求については，すみやかに応じなければならない（個人情報保護法第33条第2項）．

(2) 賠償

医療過誤によって患者に損害を与えたとなれば，それによって生じた損害，すなわちミスと相当因果関係のある損害について賠償すべき責任がある．通常は，治療費，通院費，慰謝料，場合によっては後遺症損害，休業損害などが発生する．当事者間では金額の合意が難しい場合もある．そのようなときは，紛争処理機関を利用したり，弁護士を代理人に立て交渉したりするほうが，互いの感情のもつれを防ぐことができる．医療過誤の賠償にあたっては，賠償責任保険の活用も検討する．もっとも，限度額や適用のための手続きなどの制限があるので保険会社の担当者と連携を密にする必要がある．

(3) 解決書面と時期

紛争解決につき合意が成立したときは，示談書などの解決書面を取り交わす．当事者同士の場合は曖昧になりがちだが，解決済みである旨の書面を交わすことが望ましい．要求しにくい場合でも，振込み，スタッフの同席，同意を得た録音，メールなどIT記録の保管などにより，後々の紛争の蒸し返しを防止する．治癒または症状固定が未了のときは，解決を急がず，それらを待って話し合えば全体の損害額が明確になる．ただし，長期にわたる場合は，患者の治療費や生活費に不足が生じないように配慮が必要である．

3) 責任の種類と対応

医療過誤を生じさせたときは，民事上の責任，行政上の責任，刑事上の責任が問われる．

民事上の責任は，損害賠償の問題であり示談で解決する場合もあるが，インプラント治療に関しては高額請求となりがちで訴訟を提起される場合も多い．人の生命または身体の侵害による損害賠償請求権の消滅時効は，長期20年となったので（民法第167条），診療録の保存期間である5年を過ぎても紛争が予想される場合は保存しておく．

行政上の責任は，医道審議会答申を受け厚生労働大臣が行う歯科医師免許に関する処分（歯科医師法第7条）である．医療過誤による処分は，死亡など重い結果がなければ問題とされることはまれであるが（医道審平成14年12月13日「医師及び歯科医師に対する行政処分の考え方について」参照），保険医登録取消処分（健康保険法第81条）との関連から，インプラント治療については混合診療に注意する必要がある．

刑事上の責任は，業務上過失致死傷罪である（刑法第211条）．インプラント治療による死亡事件（東京地裁平成23年（刑わ）第2213号業務上過失致死被告事件）では，禁錮1年6月執行猶予3年の有罪判決が下され（平成25年3月4日判決），控訴が棄却され確定した（東京高判平成26年12月26日）．死亡事件はこの1件のみであり，しかも「下顎骨舌側皮質骨を意図的に穿孔し，その穿孔部を利用してインプラント体を固定する術式は，一般的には用いられていないものであって，被告人自身もそのことを認識したうえで，独自の考えに基づいて採用し」た結果，引き起こされたものであった．標準的な施術方法を会得し，研鑽，研修を怠らなければ死亡事件は生じないはずである．

しかし，麻酔時のアナフィラキシーショックや併発症などによる急変は，施術自体に過失がなくとも生じる．予期せぬ急変症状が生じたときは，緊急対処が患者の生命や予後を決する．症状を見過ごしたり，放置したりすることは許されない．リドカインによる中毒症状を「眠っているだけ」として真剣に向き合わなかったため手当が遅れ，幼児が死亡した事件（福岡地裁令和2年（わ）第1020号）において，歯科医師が，業務上過失致死罪として，禁錮1年6か月（禁錮刑は懲役刑とともに拘禁刑となる）執行猶予3年の有罪判決に処せられている（令和4年3月25日判決）．インプラント治療に関する事件ではないが，インプラント施術に際して生じうるリスクがあるため，注意を要する．

4) 日頃の準備と心構え

事故時や紛争時は気が動転しがちであるから，どこへ誰が連絡するかなどの一覧表を作成し，医院全体で応急対応の訓練を行い各自の役割を確認しておきたい．日頃の心構えが予防にも役立つ．これからの訴訟社会にあっては，いつ尋ねられても納得のいく説明が可能なようにカルテや同意書などを整理し，相談できる先輩や弁護士を身近にもち，後顧の憂いなく診療に臨みたい．

2. 医療広告

インプラント治療は術者に経験と医療技術のみならず厳しい医療倫理が求められる臨床医学であり，耳触りのよいキャッチコピーやイメージ戦略が先行する広告行為と本来は相反する分野である．一方，医療従事者が自身の能力や技術の開示説明義務を果たさずにおくと，インプラント治療を希望する患者が正しい情報を得ることができない．医療広告は患者にとって自分の希望する治療を選択するための重要な情報源であることから，ガイドラインや医療倫理が厳守されると同時に，患者が理解できる適切な内容でなくてはならない．

1）医療広告の役割

医療広告とは，医療機関などのみずからの意思により行われる，患者や地域住民などの利用者へ向けた客観的で正確な情報伝達の手段である．医療広告は，患者の間の情報格差を埋め，治療などの選択に役立ち，患者の悩みを解決する糸口となる役割を担う必要がある（平成30年5月8日付け医政発0508第1号「医療広告ガイドライン」より一部引用）．

しかし，医療広告は，営利を目的とした広告主の医院へ，患者を集める活動の一面をも有する．そのため，本来の正確な情報提供という広告の目的を離れ，不当虚偽の内容で，患者を営利目的のために誘引するおそれがある．それらを防止するために，規制が必要となる．

2）医療広告規制と専門性

医療広告の規制は，1948年に制定された医療法の中で，「医業若しくは歯科医業又は病院若しくは診療所に関しては，文書その他いかなる方法によるを問わず，何人も厚生労働大臣が定める事項以外，これを広告してはならない」（第6条の5，抜粋）と定められたときから始まる．

その後2002年に発行された医療機関の広告規制の緩和（平成14年厚生労働省告示第158号）に伴い，「医師又は歯科医師の専門性」に関し，告示で定める基準を満たすものとして厚生労働大臣に届出がなされた団体の認定する資格名が広告できることとなった．2007年より薬剤師，看護師その他の専門性についても，厚生労働大臣に届出がなされた団体の認定する資格名が広告できることとなり，現在では，医師:56資格名（58団体），歯科医師:6資格名（6団体），薬剤師：1資格名（1団体），看護師：27資格名（1団体）の職種が広告可能な医師等の専門性を有する資格名等として厚生労働省に認められている．医科においては，2014年に専門医認定を行う第三者機構として日本専門医機構が設立され，今後日本専門医機構認定の専門医資格を広告に関連させる議論が進められつつある．

歯科においても2018年に日本歯科専門医機構が設立され，歯科専門医制度基本整備指針が示された．日本歯科専門医機構が認定する専門医制度の基本的理念として，①プロフェッショナルオートノミーに基づいた歯科専門医（および歯科医療従事者）の質を保証・維持できる制度であること，②国民に信頼され，受診先の選択に際し良い指標となる制度であること，が提唱されており，日本口腔インプラント学会も日本歯科専門医機構の審査・承認による広告可能な新しい専門医制度の確立に向け鋭意取り組んでいるところである．

3）ウェブサイトに関連した広告規制

医療法によって制限されていた広告可能な内容は，2007年施行の「医療広告ガイドライン」で相当程度拡大された．しかし，医療広告の媒体が紙媒体から電子媒体へ移行するにつれて，美容医療に関する消費者トラブルが増加し，それを受けて2012年施行の「医療機関ホームページガイドライン」でホームページの内容について指針が定められた．その後も美容医療に関する相談件数が増加したことにより2017年に改正医療法（平成29年6月14日付け医政発0614第6号）が成立し，2018年に新たに「医療広告ガイドライン」（前掲　平成30年5月8日付け医政発0508第1号最終改正令和5年10月12日）が施行され医療機関のウェブサイトも規制対象となった．

また，上記の改正法成立に伴い，医療機関ウェブサイトのネットパトロールについても2017年より「医業等に係るウェブサイトの監視体制強化事業 医療機関ネットパトロール」(http://iryoukoukoku-patroll.com）として開始されており，近時では，2023年2月1日付けで最新の「医療広告規制におけるウェブサイトの事例解説書（第3版）について」が出されている．ウェブサイトの監視・改善のフローは以下のとおりである．

(1) 広告等の監視

医業等に係るウェブサイトが医療広告規制等に違反していないかを監視する．

(2) 規制の周知等

不適切な記載を認めた場合，当該医療機関等に対し規制を周知し，自主的な見直しを図る．

(3) 情報提供・指導等

改善が認められない医療機関を所管する自治体に情報提供を行う（自治体は指導等を行う）．

(4) 追跡調査の実施

自治体に対する情報提供の後の改善状況等の調査を行う．追跡調査後も改善がみられない場合，行政処分が科せられる可能性がある．

4) 規制の対象となる医療機関の広告

「医療は人の生命・身体にかかわる極めて専門性の高いサービスである」という考え方から，受診する人の保護の観点に基づき，客観性・正確性を満たすものについては，「(医療法の規制範囲内で）医療に関する広告」が認められている．

「医療広告ガイドライン」によれば，広告には以下の2つの要件を満たすものが該当する．

(1) 患者の受診等を誘引する意図があること（誘引性）

(2) 医業若しくは歯科医業を提供する者の氏名若しくは名称又は病院若しくは診療所の名称が特定可能であること（特定性）

広告に該当する媒体の具体例は以下のとおりである．

①チラシ，パンフレットその他これらに類似する物によるもの（ダイレクトメール，ファクシミリ等によるものを含む）

②ポスター，看板（プラカード及び建物又は電車，自動車等に記載されたものを含む），ネオンサイン，アドバルーンその他これらに類似する物によるもの

③新聞紙，雑誌その他の出版物，放送（有線電気通信設備による放送を含む），映写又は電光によるもの

④情報処理の用に供する機器によるもの（Eメール，インターネット上の広告等）

⑤不特定多数の者への説明会，相談会，キャッチセールス等において使用するスライド，ビデオ又は口頭で行われる演述によるもの

禁止の対象となる広告の内容は以下のとおりである（**表30**）．

①広告が可能とされていない事項の広告

②内容が虚偽にわたる広告（虚偽広告）

③他の病院又は医療機関と比較して優良である旨の広告（比較広告）

④誇大な広告（誇大広告）

表 30　禁止の対象となる広告内容と具体例

禁止項目	使用できない単語・表現
治療保証	「絶対」「確実」「2 週間で 90% の効果がみられます」など
不可能項目	インプラント科，アンチエイジング科，インプラント専門外来，インプラント外来，予防歯科，審美歯科，ホワイトニング，医療機器・治療に使用する医薬品・機器の販売名称
誇大	「知事の許可を取得した病院です」，実際の値段と大幅に違う場合など
虚偽	「完全」「完璧」「絶対」「永久」「最先端技術」「500 件以上の実績」など
比較誘導	「日本有数」「No.1」「最高」「著名人も当院で治療を受けました」，専門家の談話を引用，「xx 治療における第一人者」「xx 専門院」「『患者が決めた！いい病院 2003 年』に掲載」「ハイレベル」「高水準」「他の医院で無理だと判断された方でも」など
品位	「いまなら治療代○円でキャンペーン実施中」「割引キャンペーン」「○ %OFF」など
客観的証明	「TV で取材された話題の」「100% の安心と満足を抱いていただけるような」「定評ある」「高度な」「無痛」など

⑤患者等の主観に基づく，治療等の内容又は効果に関する体験談

⑥治療等の内容または効果について，患者等を誤認させるおそれがある治療等の前または後の写真等

⑦公序良俗に反する内容の広告

5）医療広告の今後の課題

1984 年に日本に紹介されたオッセオインテグレーテッドインプラントは，良好な成功率を示すことが明らかとなり，歯科医療の中における地位を確立し，歯の欠損に悩む患者に深く貢献している．しかし，加齢に伴って生じる認知症や脳梗塞などによる肢体不自由などで，インプラント部の清掃管理が不十分となったときは，インプラントの撤去や上部構造の交換の必要が生じることがある．また，長期の経過をたどっているインプラント症例に関しては，担当術者や治療内容が不明となる事例も増加している．インプラントに求められる耐久性が逆に新たな問題の原因となりうることが理解される．これらの問題への対応には日本口腔インプラント学会認定専門医の知識と技術は必要不可欠であり，このような観点からも専門性を患者に正しく広告する妥当性が認識される．問題事例の対処に関して，学会ではホームページ上に「口腔インプラント治療相談窓口」(https://www.shika-implant.org/min-implant/common/pdf/202307_consultation.pdf) を開設しており，全国規模での対応を行っている．

医療広告はこれからインプラント治療を受ける患者のみならず，過去にインプラント治療を受けた患者にとってもみずからの健康を維持回復するための情報源の一つである．医療従事者は患者の立場に立って，医療法の規制範囲と医療倫理を遵守して，広告しなくてはならない．

20章 感染対策

1. 院内感染対策

インプラント治療を含むすべての医療の院内感染対策には，標準予防策（スタンダード・プリコーション）および感染経路別予防策が適用される．標準予防策は，すべて人の湿性生体物質〔血液，体液，分泌物（汗は除く），排泄物〕，損傷のある皮膚や粘膜は，感染の可能性のある物質を含んでいるという原則に基づいて行われる予防策であり，主要な項目を**表31**に示す〔詳細は『Guideline for Isolation Precautions：Preventing Transmission of Infectious Agents in Healthcare Settings（2007）』[101]や下記サイト（Division of Oral Health，CDC）を参照〕．また，感染経路別予防策は，標準予防策以上の予防策が必要な感染性の強い病原体や疫学的に重要な新型コロナウイルスなどの病原体に感染・保菌している患者に対して，それぞれの感染経路（空気感染，飛沫感染，接触感染）を遮断するために行われる．

表31　標準予防策（スタンダードプリコーション）の主要項目

①手指衛生	手指衛生の適応と手技
②個人防御具	グローブ，マスク，フェイスシールド，ガウン，ゴーグルなどの使用
③呼吸器衛生（咳エチケット）	患者側の咳やくしゃみの際のマスク，手指消毒
④鋭利な器具の管理	メス刃や注射針の取扱．汚染器具物品の破棄管理
⑤安全な注射・投薬	注射器や針，輸液セット，アンプルの適切な使用
⑥使用後の器具・機器の滅菌	器材の洗浄，消毒，滅菌，器具の破棄
⑦清潔で消毒された診療環境	環境感染予防，日常の清掃と消毒

(https://www.cdc.gov/dental-infection-control/hcp/summary/?CDC_AAref_Val=https://www.cdc.gov/oralhealth/infectioncontrol/summary-infection-prevention-practices/ より翻訳して転載)

2. 新型コロナウイルス感染予防対策

新型コロナウイルスは2003年に見つかったSARSコロナウイルス（SARS-CoV）と相同性の高い（約80%）ゲノム塩基配列を有することから“SARS-CoV-2：severe acute respiratory syndrome coronavirus-2”と命名された．このウイルスによる感染症をCOVID-19と呼ぶ．感染者（累積）数は，全世界で7.7億人，死亡者は690万人にのぼり（2023年6月，WHO），注意を要する感染症である[102]．2023年5月に日本では五類感染症に再分類されたものの，今後，感染性や病原性の高い変異株が出現する可能性も否定できない．COVID-19は一般に飛沫感染（エアロゾル感染）とされ，感染者の咳やくしゃみ，大きな声で飛散する2～3μm以下の微小粒子が主な感染源である．またウイルスの付着したものに触れた手で口・鼻・目を触ったりすることによる接触感染もある．インプラント治療における感染対策として，インプラント治療は緊急性を要することは少ないので，発熱，喉の痛み，咳などの症状があれば治療を延期することが適切である．しかし無症状のCOVID-19感染者も少なくないので，以下の標準予防策は十分に考慮されるべきである[103]．

1）接触感染予防策

手指の消毒，個人用防御具（PPE）の使用，使用した器具の消毒滅菌

2）飛沫・空気感染予防

N95などのサージカルマスクやゴーグルを着用し，診療室の十分な換気や空気清浄機を利用する．

3. 器具の消毒，滅菌

患者に使用する医療器具は，その用途ごとに感染管理区分がクリティカル，セミクリティカル，ノンクリティカルに分類され，それぞれに適した感染管理が求められる．**表32**に示すように，インプラント治療に用いられる器具のうち，手術に用いるものの多くはクリティカルに，それ以外に用いられるものの多くはセミクリティカルに分類されるため，それぞれに応じた対応を行わなければならない．セミクリティカルに分類されるものも，インプラント治療にかかわる器具の多くは滅菌可能であるため，滅菌を行う．また，器具だけではなく，歯科治療に特有である印象体や石膏模型，技工物に関してもそれぞれに応じた消毒が必要である（詳細は『歯科医療における感染管理のためのCDCガイドライン』[104]，『補綴歯科治療過程における感染対策指針2019』[105]，『一般歯科診療時の院内感染対策に係る指針（第2版）』[106]を参照）．

表32　器具の潜在的感染リスク分類と感染対策（Centers for Disease Control and Prevention（満田年宏，丸森英史監訳，国際医学出版編）：歯科医療における感染管理のためのCDCガイドライン．サラヤ，大阪，2004，p26，表4.[104]より改変）

分類	感染対策	定義	例
クリティカル	滅菌	軟組織を貫通するもの．骨に接触するもの．血流またはその他の無菌組織中に入る，もしくは接触するもの	外科用器具，歯周スケーラー，インプラント手術用器具など
セミクリティカル	可能なものは滅菌，それ以外は高水準消毒	粘膜，または損傷のある皮膚に接触するが軟組織を貫通しないもの	口腔内用ミラー，印象用トレー，補綴用ドライバー，トルクレンチなど
ノンクリティカル	洗浄	健康な皮膚と接触するもの	血圧計，パルスオキシメータなど

4. 術野の消毒，術中の清潔操作，清潔域の管理

p.53「11章 インプラント体埋入手術と周術期管理」を参照．

5. 予防抗菌薬投与

インプラント体埋入手術において術後感染予防を目的としての抗菌薬の使用に関して，2020年「術後感染予防抗菌薬適正使用のための実践ガイドライン」日本化学療法学会／日本外科感染症学会[107]，では，インプラント体埋入手術は手術創分類でクラスⅡであり，予防抗菌薬投与の適応とされている．予防抗菌薬投与の推奨グレード・エビデンスレベルはB-1であり，“科学的根拠があり行うように勧められる”の範疇に属する．推奨抗菌薬は合成ペニシリン系薬剤であるアモキシシリン（AMPC）であり，経口で1回250 mg～1 gとされている．β-ラクタム系抗菌薬アレルギー患者では，クリンダマイシンCLDM（経口）を使用する．

いずれも投与時期は，手術1時間前に服用とされている．投与期間は単回のみであり，これは推奨グレード・エビデンスレベルは最も高いA-1である．したがって，術後の抗菌薬投与は必要ないとされている．

オーラルフレイル

歳を重ねると外出機会が減り，体力が低下し，介護の必要性が高まります．このように心と体の働きが弱くなってきた状態をフレイルと呼びます．フレイルは「虚弱」を意味する英語「frailty」を語源としてつくられた言葉です．さらにフレイルは，生活の質の低下だけでなく，さまざまな併発症も引き起こします．しかし，早期に気づき対策を行えば元の健常な状態に戻る段階です．フレイルの予防に大切なのが，「栄養」「身体活動」「社会参加」であり，口が大きく関係します．オーラルフレイルは「オーラル」と「フレイル」からなる造語で，日本で考案された「口腔の虚弱」という概念です．症状は，硬い物がかめない，口が渇く・においが気になる，滑舌が悪い，むせる・食べこぼす，などであり，日本歯科医師会のセルフチェックリストもあります．4段階あるオーラルフレイルの3段階目を，「口腔機能低下症」として，その検査・管理が医療保険に導入されました（2018年）．インプラント治療の術前にも，検査を行い，インプラント治療だけでは回復しない口腔機能を，他の治療や管理を併用し，改善することが望ましいですが，まだ普及途上です．

21章 参考文献

1章 口腔インプラント治療とは

1）Brånemark PI，Zarb GA，Albrektsson T編（関根　弘，小宮山弥太郎，吉田浩一訳）：ティシューインテグレイション補綴療法．クインテッセンス出版，東京，139，1990．
2）佐々木穂高，松坂賢一：よくわかる口腔インプラント学．第4版．医歯薬出版，東京，2023，35．

2章 口腔インプラント治療にかかわる基礎歯科医学

3）柴田　陽，片岡　有：インプラント体の材料．よくわかる口腔インプラント学（赤川安正ほか編）．第4版．医歯薬出版，東京，56，2023．
4）Chopra D et al.：Advancing dental implants：Bioactive and therapeutic modifications of zirconia. Bioact Mater，13：161-178，2022．
5）石川邦夫：驚異の人工骨補填材：炭酸アパタイト．人工臓器47，189-195，2018．
6）松尾雅斗：歯科臨床のためのOral Biology 5 上顎洞とインプラント．歯界展望，129：1132，2017．

3章 倫理規範

7）Beauchamp TL，Childress JF：生命医学倫理（永安幸正，立木教夫監訳）．成文堂，東京，79-367，1997．
8）樫　則章：第3章　インフォームド・コンセント．2．正当な診療行為の三条件．歯科医療倫理（全国歯科衛生士教育協議会）．第2版．医歯薬出版，東京，33-34，2018．
9）日本歯科審美学会編：歯科審美学．永末書店，京都，166-171，2019．
10）日本医師会：患者の権利に関するWMAリスボン宣言．
https://www.med.or.jp/doctor/international/wma/lisbon.html（2024年5月30日閲覧）
11）日本医師会：WMAヘルシンキ宣言．
https://www.med.or.jp/doctor/international/wma/helsinki.html（2024年5月30日閲覧）
12）文部科学省，厚生労働省：人を対象とする医学系研究に関する倫理指針．
https://www.mhlw.go.jp/file/06-Seisakujouhou-10600000-Daijinkanboukouseikagakuka/0000153339.pdf（2024年5月30日閲覧）
13）文部科学省，厚生労働省：人を対象とする医学系研究に関する倫理指針ガイダンス．
https://www.mhlw.go.jp/file/06-Seisakujouhou-10600000-Daijinkanboukouseikagakuka/0000166072.pdf（2024年5月30日閲覧）
14）文部科学省，厚生労働省，経済産業省：人を対象とする生命科学・医学系研究に関する倫理指針．
https://www.mhlw.go.jp/content/000757566.pdf（2024年5月30日閲覧）
15）文部科学省，厚生労働省，経済産業省：人を対象とする生命科学・医学系研究に関する倫理指針ガイダンス．
https://www.mhlw.go.jp/content/000769923.pdf（2024年5月30日閲覧）
16）個人情報の保護に関する法律．
https://elaws.e-gov.go.jp/document?lawid=415AC0000000057（2024年5月30日閲覧）
17）文部科学省，厚生労働省，経済産業省：個人情報保護法等の改正に伴う研究倫理指針の改正について．
https://www.mhlw.go.jp/file/06-Seisakujouhou-10600000-Daijinkanboukouseikagakuka/0000170955.pdf（2024年5月30日閲覧）
18）厚生労働省：臨床研究法について．
https://www.mhlw.go.jp/stf/seisakunitsuite/bunya/0000163417.html（2024年5月30日閲覧）
19）医薬品医療機器総合機構：医療機器情報検索．
https://www.pmda.go.jp/PmdaSearch/kikiSearch/（2024年5月30日閲覧）

20) 日本口腔インプラント学会：倫理審査.
https://www.shika-implant.org/coi/ethics_sample.html（2024年5月30日閲覧）
21) 厚生労働省：再生医療等の安全性の確保等に関する法律について.
https://www.mhlw.go.jp/file/06-Seisakujouhou-10800000-Iseikyoku/0000079192.pdf（2024年5月30日閲覧）
22) 厚生労働省：医業若しくは歯科医業又は病院若しくは診療所に関する広告等に関する指針（医療広告ガイドライン）.
https://www.mhlw.go.jp/content/10800000/001231163.pdf（2024年5月30日閲覧）
23) 厚生労働省医薬・生活衛生局長（厚生労働省）：未承認医療機器の展示会等への出展について.
https://kouseikyoku.mhlw.go.jp/kinki/gyomu/gyomu/yakkan/documents/20170609yn060901.pdf（2024年5月30日閲覧）

6章　診察・検査と診断

24) 日本糖尿病学会編著：糖尿病治療ガイド2022-2023．文光堂，東京，2022.
25) Lekholm U, Zarb GA：Patient selection and preparation, Tissue integrated prostheses. Quintessense, Chicago, 199-209, 1985.
26) Zarb GA, Albrektsson T：Consensus Report：Towards Optimized Treatment Outcomes for Dental Implants. Prosthet Dent, 80：641, 1998.
27) Atchison KA, Dolan TA：Development of the Geriatric Oral Health Assessment Index. J Dent Educ, 54：680-687, 1990.
28) Slade GD, Spencer AJ：Development and evaluation of the oral health impact profile. Community Dent Health, 11：3-11, 1994.
29) Adulyanon S, Sheiham A：Oral impacts on daily performances. In：Slade GD ed, Measuring oral health and quality of life, University of North Carolina, Dental Ecology, Chapel Hill, 152-160, 1997.

7章　口腔インプラントの画像診断

30) 林　孝文ほか：D-Ⅰ，Ⅱ．インプラントの画像診断ガイドライン．第2版（林　孝文編）．日本歯科放射線学会．歯科放射線診療ガイドライン委員会，6-11，2008.
https://www5.dent.niigata-u.ac.jp/~radiology/guideline/implant_guideline_2nd_080901.pdf（2024年5月30日閲覧）
31) Abrahams JJ et al.：Dental implants and related pathology. In：Head and Neck Imaging. 5th ed (Som PM, Curtin HD ed.). CV Mosby, St. Louis, 1443-1457, 1459-1468, 2011.
32) Shapurian T et al.：Quantitative evaluation of bone density using the Hounsfield index. Int J Oral Maxillofac Implants, 21：290-297, 2006.
33) Shahlaie M et al.：Bone density assessments of dental implant sites：1. Quantitative computed tomography. Int J Oral Maxillofac Implants, 18：224-231, 2003.
34) Lettry S et al.：Quality assessment of the cortical bone of the human mandible. Bone, 32：35-44, 2003.
35) Ota H et al.：MDCT compared with digital subtraction angiography for assessment of lower extremity arterial occlusive disease：importance of reviewing cross-sectional images. AJR Am J Roentgenol, 182：201-209, 2004.
36) Kelly DM et al.：High-resolution CT using MDCT：comparison of degree of motion artifact between volumetric and axial methods. AJR Am J Roentgenol, 182：757-759, 2004.
37) Tsukioka T et al.：Assessment of relationships between implant insertion torque and cortical shape of the mandible using panoramic radiography：Preliminary study. Int J Oral maxillofac Implants, 29：622-626, 2014.

38) Gahleitner A et al.：Dental CT：imaging technique, anatomy, and pathologic conditions of the jaws. Eur Radiol, 13：366-376, 2003.
39) 金田　隆編著：口腔インプラント治療時に知っておくべきCT正常像．画像診断に学ぶ難易度別口腔インプラント治療．永末書店，京都，11-49，2014.
40) Kaneda T, Curtin HD：Cysts, tumors, and nontumorous lesions of the Jaw. In：Head and Neck Imaging. 5th ed (Som PM, Curtin HD ed.). CV Mosby, St. Louis, 1469-1531, 1542-1546, 2011.
41) Gonzalez AB, Darby S:Risk of cancer from diagnostic X-rays:estimate for the UK and 14 other countries. Lancet, 363：345-351, 2004.
42) Brenner DJ, Hali EJ：Computed Tomography. An increasing source of radiation exposure. N Engl J Med, 357：2277-2284, 2007.
43) 厚生労働省：医療法施行規則の一部を改正する省令（厚生労働省令21号）．2019.

8章 治療計画

44) 日野原重明：医療と医学教育のための新システム．医学書院，東京，1992.
45) Meicske-Stern R et al.：Optimal number of oral implants for fixed reconstructions：A review of the literature. Eur J Oral Implantol, 7：5133-5153, 2014.
46) Raghoever GM：A systematic review of implant-supported overdentures in the edentulous maxilla, compare the mandible：How mny implants? Eur J Oral Implantol, 7：S191-S201, 2014.
47) Papaspyridakos P et al.:Implant and Prosthodontic Survival Rates with Implant Fixed Complete Dental Prostheses in the edentulous Mandible after at least 5 Years：A Systematic Review. Clin Implant Dent Relat Res, 16：705-717, 2014.
48) Thomason JM et al.：Two implant retained overdentures -A review of the the literature supporting the McGill and York concensus statements. J Dent, 40：22-34, 2012.
49) Alsabeeha mandibular single-implant overdentures：a review with surgical and prosthodontic perspectives of a novel approach. Clin Oral Implants Res, 20：356-365, 2009.
50) 細川隆司，正木千尋：上部構造の種類．よくわかる口腔インプラント学（赤川安正ほか編）．第４版．医歯薬出版，東京，115-133，2023.
51) 萩原芳幸:固定性上部構造の種類とアバットメントの選択．よくわかる口腔インプラント学(赤川安正ほか編)．第４版．医歯薬出版，東京，194-204，2017.

10章 麻酔と全身管理

52) 日本歯科麻酔学会編，日本歯科医学会監修：日本歯科診療における静脈内鎮静法ガイドライン―改訂第２版（2017)―．2017.
53) 金子明寛ほか:歯科におけるくすりの使い方2023-2026．デンタルダイヤモンド，東京，302-323，2014.
54) 日本歯科麻酔学会 ガイドライン策定委員会　診療 statement 策定作業部会編：高血圧患者に対するアドレナリン含有歯科用局所麻酔剤使用に関するステートメント．2019.
55) 北川栄二：オクタプレシン（フェリプレシン）の選択基準　虚血性心疾患患者への使用の適否．The Quintessence，24：181-187，2005.

11章 インプラント体埋入手術と周術期管理

56) 日本化学療法学会，日本外科感染症学会　術後感染予防抗菌薬適正使用に関するガイドライン作成委員会編：術後感染予防抗菌薬適正使用のための実践ガイドライン．
https://www.chemotherapy.or.jp/uploads/files/guideline/jyutsugo_shiyou_jissen.pdf（2024年5月30日閲覧）
57) 日本歯科薬物療法学会編：歯科の処方に役立つ本．永末書店，東京，2022.
58) 浦部晶夫ほか編：今日の治療薬 2020．南江堂，東京，2020.
59) 金子明寛編：歯科におけるくすりの使い方 2015-2018．デンタルダイヤモンド，東京，2014.

12章 インプラント体の埋入時期・荷重時期

60) Wismeijer et al.（勝山英明，船越栄次 監訳）：ITI treatment guide 4 インプラント歯学における荷重プロトコール．クインテッセンス出版，東京，2010.

61) Aparicio C et al.：Immediate/early loading of dental implants：a report from the Sociedad Espanola de Implantes World Congress consensus meeting in Barcelona, Spain, 2002. Clin Implant Dent Relat Res, 5：57-60, 2003.

62) Buser D et al.：Proceedings of the Third ITI（International Team for Implantology）Consensus Conference. Gstaad,Switzerland,August 2003. Int J Oral Maxillofac Implants, 19 Suppl：7-154, 2004.

63) Hammerle CH et al.：The first EAO Consensus Conference 16-19 February 2006, Pfaffikon, Switzerland. Clin Oral Implants Res, Suppl 2：1-162, 2006.

64) Esposito M et al.：The effectiveness of immediate, early, and conventional loading of dental implants：a Cochrane systematic review of randomized controlled clinical trials. Int J Oral Maxillofac Implants, 22：893-904, 2007.

65) Proceedings of the Fourth International Team for Implantology（ITI）Consensus Conference, August 2008, Stuttgart, Germany. Int J Oral Maxillofac Implants, 24：7-278, 2009.

13章 骨組織，軟組織のマネジメント

66) Peetz M：Characterization of xenogeneic bone material. Boyne PJ：Osseous reconstruction of the maxilla and mandible：Surgical techniques using titanium mesh and bone mineral. Quintessence, Illinois, 87-100, 1997.

67) Kolk A et al.：Current trends and future perspectives of bone substitute meterials-from space holders to innovative biomaterials. J Craniomaxillofac Surg, 40：706-718, 2012.

68) Misch CE, Dietsh F:Bone-grafting materials in implant dentistry. Implant Dent, 2:158-167, 1993.

69) Pinholt EM et al.：Alveolar ridge augmentation in rats by Bio-Oss. Scand J Dent Res, 99：154-161, 1991.

70) Ishikawa K et al.:Physical and Histological Comparison of Hydroxyapatite, Carbonate Apatite, and β-Tricalcium Phosphate Bone Substitutes. Materials, 11：2018.E1993. doi：10.3390/ma11101993.

71) Kawai T et al.：Application of Octacalcium Phosphate and Collagen Composite for Bone Augmentation with Sinus Floor Elevation in Humans. Clin Surg, 3：2112, 2018.

72) Mason ME et al.：Life-threatening hemorrhage from placement of a dental implant. J Oral Maxillofac Surg, 48：201-204, 1990.

73) Laboda G：Life-threatening hemorrhage after placement of anendosseous implant：Report of Case. J Am Dent Assoc, 121：599-600, 1990.

74) Bruggenkate CM et al.:Hemorrhage of the floor of the mouth resulting from lingual perforation during implant placement：A Clinical report. Int J Oral Maxillofac Implants, 8：329-334, 1993.

75) Clavero J, Lungren S：Ramus or chin grafts for maxillary sinus inlay and local onlay augmentation：comparison of donor site morbidity and complications. Clin lmplant Dent Relat Res, 5：154-160, 2003.

76) Marx RE：The science and art of reconstructing the jaws and temporomandibular joints. Bell WH eds：Modern Practice in Orthognathic and Reconstructive Surgery. Saunders, Philadelphia, 1449-1452, 1991.

77) Catone GA et al.：Tibial autogenous cancellous bone as alternative donor site in maxillofacial surgery：A preliminary report. J Oral Maxillofac Surg, 50：1258-1263, 1992.

78) de Carvalho PS et al.：Influence of bed preparation on the incorporation of autogenous bone

grafts：a study in dogs. Int J Oral Maxillofac Implants, 15：565-570, 2000.
79) Boyne PJ, James RA：Grafting of the maxillary sinus floor with autogenous marrow and bone. J Oral Surg, 38：613-616, 1980.
80) Wood RM, Moore DL：Grafting of the maxillary sinus with intraorally harvested autogenous bone prior to implant placement. Int J Oral Maxillofac Implants, 3：209-214, 1988.
81) Lundgren S et al.：Augmentation of the maxillary sinus floor with particulated mandible：a histologic and histomorphometric study. Int J Oral Maxillofac Implants, 11：760-766, 1996.
82) Johansson B et al.：Implants and sinus-inlay bone grafts in a l-Stage procedure on severely atrophied maxilla：surgical aspects of a 3-year follow-up Study. Int J Oral Maxillofac Implants, 14：811-818, 1999.
83) Wannfors K et al.：A prospective randomized study of l- and 2-stage sinus inlay bone grafts：1-year follow-up. Int J Oral Maxillofac Implants, 15：625-632, 2000.
84) Taylor GI, Corlett RJ：Microvascular free transfer of a compound deep circumflex groin and iliac crest flap to the mandible. in：Strauch B, Vasconez LO, Hall-Findlay E (ed)：Grabb's Encyclopedia of Flaps, vol.I. Little, Brown., Boston, 1990, 589.
85) Simion M et al.：Jawbone enlargement using immediate implant placement associated with a split-crest technique and guided tissue regeneration. Int J Periodontics Restorative Dent, 12：462-473, 1993.
86) Resenquist B：Implant placement in combination with nerve transpositioning：Experienced with first l00 cases. Int J Oral Maxillofac Implants, 9：522-531, 1994.

14章 インプラント補綴法

87) Wilson TG Jr.：The positive relationship between excess cement and peri-implant disease：a prospective clinical endoscopic study. J Periodontol, 80：1388-1392, 2009.
88) 萩原芳幸：第5章口腔インプラント治療の実際．Ⅲ補綴術式．6固定性上部構造の種類とアバットメントの選択．よくわかる口腔インプラント学．第4版（赤川安正ほか編）．医歯薬出版，東京，2023.
89) Freitas da Silva EV et al.：Does the Presence of a Cantilever Influence the Survival and Success of Partial Implant-Supported Dental Prostheses? Systematic Review and Meta-Analysis. Int J Oral Maxillofac Implants, 33：815-823, 2018.
90) 伴　清治：CAD/CAMで製作するインプラント上部構造の材料選択．日口腔インプラント会誌，35：187-196，2022.
91) Feine J：The McGill consensus statement on overdentures. Mandibular two-implant overdentures as first choice standard of care for edentulous patients. Int J Oral Maxillofac Implants, 17：601-602, 2002.
92) Park JH et al.：Effect of conversion to implant-assisted removable partial denture in patients with mandibular Kennedy classification Ⅰ：A systematic review and meta-analysis. Clin Oral Implants Res, 31：360-373, 2020.

15章 口腔インプラント治療におけるデジタル技術の応用

93) Wei SM et al.：Accuracy of dynamic navigation in implant surgery：A systematic review and meta-analysis. Clin Oral Implants Res, 32：383-393, 2021.

16章 広範囲顎骨支持型装置と広範囲顎骨支持型補綴

94) 歯科点数表の解釈 令和4年4月版．社会保険研究所，東京，2022.
95) 日本顎顔面インプラント学会編：顎骨再建とインプラントによる治療指針―広範囲顎骨支持型装置治療マニュアル―．ゼニス出版，東京，2022.

96) 日本形成外科学会・日本創傷外科学会・日本頭蓋顎顔面外科学会編：形成外科診療ガイドライン6 頭頸部・顔面疾患．金原出版，東京，2015.

17章 インプラントのメインテナンス

97) Mombelli A et al.：The microbiota associated with successful or failing osseointegrated titanium implants. Oral Microbiol Immunol, 2：145-151, 1987.
98) 和泉雄一ほか編著：新 インプラント周囲炎へのアプローチ．永末書店，京都，28-31，2007.
99) Ron Doornewaard et al.：How do peri-implant biologic parameters correspond with implant survival and peri-implantitis? A critical review. Clin Oral Impl Res, 29：100-123. 2018.
100) Peri-implant diseases and conditions：Consensus report of workgroup 4 of the 2017 World Workshop on the Classification of Periodontal and Peri-Implant Diseases and Conditions. J Periodontol, 89：S313-S318, 2018.

20章 感染対策

101) Centers for Disease Control and Prevention 編：2007 Guideline for Isolation Precautions：Preventing Transmission of Infectious Agents in Healthcare Settings, 2007.
102) World Health Organization：Weekly epidemiological update on COVID-19 - 8 June 2023. WHO. 2023.
https://www.who.int/publications/m/item/weekly-epidemiological-update-on-covid-19---8-June-2023（2024年5月30日閲覧）
103) CDC：Interim Infection Prevention and Control Recommendations for Healthcare Personnel During the Coronavirus Disease 2019 (COVID-19) Pandemic.
https://www.cdc.gov/coronavirus/2019-ncov/hcp/infection-control-recommendations.html（2024年5月30日閲覧）
104) Centers for Disease Control and Prevention（満田年宏，丸森英史監訳，国際医学出版編）：歯科医療における感染管理のためのCDCガイドライン．サラヤ，大阪，2004.
105) 日本補綴歯科学会編：補綴歯科治療過程における感染対策指針 2019.
106) 厚生労働省委託事業「歯科診療における院内感染対策に関する検証等事業」，一般歯科診療時の院内感染対策に係る指針（第2版）.
107) 日本化学療法学会/日本外科感染症学会　術後感染予防抗菌薬適正使用に関するガイドライン作成委員会編：術後感染予防抗菌薬適正使用のための実践ガイドライン．2020.
https://www.chemotherapy.or.jp/uploads/files/guideline/jyutsugo_shiyou_jissen.pdf（2024年5月30日閲覧）

付1 口腔インプラント治療に影響を有する主要な全身疾患に対する基礎知識

108) 櫻井　学：術前の全身状態評価と管理．歯科麻酔学（福島和昭監修）．第8版．医歯薬出版，東京，210，2019.
109) 日本循環器学会ほか編：感染性心内膜炎の予防と治療に関するガイドライン（2017年改訂版）．48-56，2018.
110) 日本有病者歯科医療学会，日本口腔外科学会，日本老年歯科医学会編：科学的根拠に基づく抗血栓療法患者の抜歯に関するガイドライン 2020年版．学術社，東京，2020.
111) 骨粗鬆症の予防と治療のガイドライン作成委員会：骨粗鬆症の予防と治療ガイドライン．2015年版．ライフサイエンス社，東京，2015.
112) 顎骨壊死検討委員会：薬剤関連顎骨壊死の病態と管理：顎骨壊死検討委員ポジションペーパー2023.
https://www.jsoms.or.jp/medical/pdf/work/guideline_202307.pdf（2024年5月30日閲覧）

付3 口腔インプラント治療とMRI検査

113) 土井　司：MRIにおける患者サービスと安全確保の境界～歯科インプラント，タトゥー，化粧品などへの対応～．日磁気共鳴医会誌，40：72-81，2020.

114) 日本磁気共鳴医学会安全性評価委員会監修：MRI安全性の考え方．第3版．学研メディカル秀潤社，東京，269-280，2022.
115) 日本磁気歯科学会安全基準検討委員会監修：「磁性アタッチメントとMRI」歯科用磁性アタッチメント装着者のMRI安全基準マニュアル．2022.
http://jsmad.jp/jjsmad/MRI-safety-GL-2022.pdf
116) 福田大河ほか：純チタン製口腔インプラント体の大きさの違いによるMRI金属アーチファクトの比較．歯科放射線，57：33-40，2017.
117) Bohner L et al.：Magnetic resonance imaging artifacts produced by dental implants with different geometries. Dentomaxillofac Radiol, 49：2020012020, 2020. doi:10.1259/dmfr.20200121.

付1 口腔インプラント治療に影響を有する主要な全身疾患に対する基礎知識

1. 心不全

心不全とは，「何らかの心臓機能障害，すなわち，心臓に器質的および/あるいは機能的異常が生じて心ポンプ機能の代償機転が破綻した結果，呼吸困難・倦怠感や浮腫が出現し，それに伴い運動耐容能が低下する臨床症候群」と定義される．心不全は心腔内に血液を充満させ，それを駆出するという心臓の主機能の何らかの障害が生じた結果出現するため，高血圧，心外膜や心筋・心内膜疾患，弁膜症，冠動脈疾患（虚血性心疾患など），大動脈疾患，不整脈，内分泌異常など，さまざまな要因により引き起こされる．

現在，心不全の病期の進行については米国心臓学会/米国心臓協会（ACCF/AHA）の心不全ステージ分類が用いられることが多いが，このステージ分類は適切な治療介入を行うことを目的にされており，無症候であっても高リスク群であれば早期に治療介入することが推奨されている．これと並行して，運動耐容能を示す指標であるNYHA心機能分類（**付表1**）も頻用されている[108]．

付表1　NYHA（New York Heart Association）による心機能の分類（櫻井，2019）[108]

Ⅰ度	心疾患はあるが身体活動に制限はない 日常的な身体活動では著しい疲労，動悸，呼吸困難（息切れ）を生じない
Ⅱ度	軽度の身体活動の制限がある．安静時には無症状 日常的な身体活動で疲労，動悸，呼吸困難（息切れ）を生じる
Ⅲ度	高度な身体活動の制限がある．安静時には無症状 日常的な身体活動以下の労作で疲労，動悸，呼吸困難を生じる
Ⅳ度	心疾患のためいかなる身体活動も制限される 心不全症状が安静時にも存在する．わずかな労作でこれらの症状は増悪する

NYHA心機能分類

NYHA心機能分類とは，ニューヨーク心臓協会（New York Heart Association）が作成し，日常生活の身体活動能力に基づいた重症度分類である．この方法は簡便であり，患者のQOLを反映している．一方，それぞれのクラスの判断基準となる具体的な日常活動レベルが曖昧であり，定量性・客観性に乏しい点が欠点である．特に心不全の病歴が長い患者は，みずからの活動を制限していることがあり，注意が必要である．

2. 感染性心内膜炎の予防

感染性心内膜炎（infective endocarditis：IE）は，弁膜や心内膜，大血管内膜に細菌集族を含む疣腫を形成し，血管塞栓，心障害などの多彩な臨床症状を呈する全身性敗血症性疾患である．IEはそれほど発症率の高い疾患ではないが，いったん発症すると，的確な診断の下，適切に奏効する治療を行わなければ多くの合併症を引き起こし，ついには死に至る．発症の原因は，弁膜疾患や先天性心疾患に伴う異常血流や，人工弁置換術後などに異物の影響で生じる非細菌性血栓性心内膜炎などとされ，歯科処置，耳鼻咽喉科的処置，婦人科的処置，泌尿器科的処置などにより一過性の菌血症が生じると，この部位に菌が付着，増殖し，疣腫が形成されることがあると考えられている．

IE 予防のための抗菌薬投与がすべての症例や手技に推奨されるわけではなく，その有用性はまだ科学的には証明されていないが，「感染性心内膜炎の予防と治療に関するガイドライン（2017 年改訂版）」[109] では，歯科治療における予防抗菌薬投与について検討されている．菌血症を起こす歯科処置としては，出血を伴ったり根尖を越えるような侵襲的な歯科処置があげられ，そのうち抜歯が最もよく認識されている．また，出血を伴う外科処置やインプラント体埋入，歯石の除去なども菌血症を誘発する処置として認識されている．

成人における IE の基礎心疾患別リスクと，歯科口腔外科手技に際する予防抗菌薬投与の推奨とエビデンスレベルは，**付表 2** のようになっている．また，歯科処置前の抗菌薬の標準的予防投与法（成人）は，**付表 3** に示す．

付表 2　成人における IE の基礎心疾患別リスクと，歯科口腔外科手技に際する予防抗菌薬投与の推奨とエビデンスレベル

IE リスク	推奨クラス	エビデンスレベル
1．高度リスク群（感染しやすく，重症化しやすい患者）		
● 生体弁，機械弁による人工弁置換術患者，弁輪リング装着例 ● IE の既往を有する患者 ● 複雑性チアノーゼ性先天性心疾患（単心室，完全大血管転位，ファロー四徴症） ● 体循環系と肺循環系の短絡造設術を実施した患者	I	B
2．中等度リスク群（必ずしも重篤とならないが，心内膜炎発症の可能性が高い患者）		
● ほとんどの先天性心疾患[*1] ● 後天性弁膜症[*2] ● 閉塞性肥大型心筋症 ● 弁逆流を伴う僧帽弁逸脱	Ⅱa	C
● 人工ペースメーカ，植込み型除細動器などのデバイス植込み患者 ● 長期にわたる中心静脈カテーテル留置患者	Ⅱb	C

エビデンス評価の詳細は下記ガイドラインの「CQ4：高リスク心疾患患者に対する歯科処置に際して抗菌薬投与は IE 予防のために必要か？」参照
*1 単独の心房中隔欠損症（二次孔型）を除く
*2 逆流を伴わない僧帽弁狭窄症では IE のリスクは低い
IE：感染性心内膜炎
（日本循環器学会：感染性心内膜炎の予防と治療に関するガイドライン（2017 年改訂版）．
https://www.j-circ.or.jp/cms/wp-content/uploads/2017/07/JCS2017_nakatani_h.pdf（2024 年 4 月閲覧））[109]

付表 3　歯科処置前の抗菌薬の標準的予防投与法（成人）

投与方法	βラクタム系抗菌薬アレルギー	抗菌薬	投与量	投与回数	備考
経口投与可能	なし	アモキシシリン	2g[*1, *2]	単回	処置前 1 時間
	あり	クリンダマイシン	600 mg	単回	処置前 1 時間
		アジスロマイシン	500 mg		
		クラリスロマイシン	400 mg		
経口投与不可能	なし	アンピシリン	1～2 g	単回	手術開始 30 分以内に静注，筋注，または手術開始時から 30 分以上かけて点滴静注
		セファゾリン	1 g		
		セフトリアキソン	1 g		手術開始 30 分以内に静注，または手術開始時から 30 分以上かけて点滴静注
	あり	クリンダマイシン	600 mg	単回	手術開始 30 分以内に静注，または手術開始時から 30 分以上かけて点滴静注

*1 または体重あたり 30 mg/kg
*2 なんらかの理由でアモキシシリン 2 g から減量する場合は，初回投与 5～6 時間後にアモキシシリン 500 mg の追加投与を考慮する
（日本循環器学会：感染性心内膜炎の予防と治療に関するガイドライン（2017 年改訂版）．
https://www.j-circ.or.jp/cms/wp-content/uploads/2017/07/JCS2017_nakatani_h.pdf（2024 年 4 月閲覧））[109]

3. 脳血管障害

脳血管障害は，主に脳の血管が詰まる「脳梗塞」，一時的に脳の血管が詰まる「一過性脳虚血発作」，脳の血管が破れる「脳出血」，脳の血管にできた脳動脈瘤が破裂する「クモ膜下出血」に分類される（**付図 1**）．

1）危険因子と発症予防

高血圧，糖尿病，脂質異常症，心疾患（心房細動，心臓弁膜症），その他の生活習慣（喫煙，多量飲酒，運動不足，過労・ストレスの蓄積，肥満など）が危険因子としてあげられるため，これらの管理が発症と再発の予防に重要である．高血圧はすべての脳血管障害に共通した最大の危険因子であり，一般の降圧目標は 140/90 mmHg 未満であるが，後期高齢者は 150/90 mmHg 未満を目標としてもよいとされている．

非心原性脳梗塞（アテローム血栓性脳梗塞，ラクナ梗塞，原因不明の脳梗塞）の再発予防には抗血小板療法の適応があり，心原性脳塞栓症（心房細動，急性心筋梗塞，人工弁置換，左室血栓を伴った脳梗塞）の再発予防には抗凝固療法の適応がある．

2）後遺症

後遺症としては意識障害，運動障害，感覚障害，言語障害（構音障害・失語症），視覚障害など障害を受けた脳の領域で異なる．インプラント治療に際して，運動機能障害は摂食・嚥下機能，口腔内清掃への影響，認知機能障害は治療に対する理解不足が問題になると考えられる．

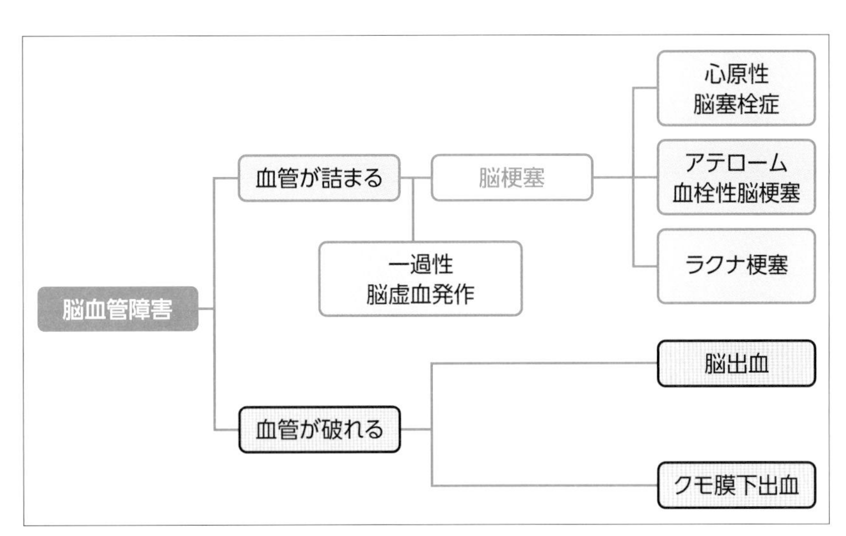

付図 1　脳血管障害の分類

4. 抗血栓療法

我が国では，人口の高齢化や生活様式の欧米化に伴い，動脈硬化を基盤とする心臓血管疾患の増加が著しく，その傾向は末梢動脈疾患にも同様にみられる．抗血栓療法の対象となる疾患として弁膜症（僧帽弁膜症，大動脈弁膜症），心臓外科手術後（人工弁置換術，弁形成術，冠動脈バイパス術），虚血性心疾患（不安定狭心症，虚血性心疾患慢性期，冠動脈ステント留置），心不全，末梢動脈疾患，心房細動その他の不整脈がある．一方，脳梗塞に対しても，非心原性脳梗塞の原因となる動脈血栓は血小板血栓であるため，その再発予防は抗血小板療法の適応であり，心原性脳塞栓症の原因となる心内血栓はフィブリン血栓であるため，その再発予防は抗凝固療法の適応である．

抗血栓療法を受けている患者のインプラント体埋入手術に関するエビデンスは不十分であるが，抗血栓療法患者の抜歯に関するガイドライン[110]を参考にまとめる．

①致命的な血栓形成を予防するために抗血栓薬は継続する．

②ワルファリンカリウム服用患者では，原則としてPT-INRの測定を行う．PT-INRが2.5以上の場合は専門医療機関へ照介を行う．

③異常出血に対しては局所止血で対応し，縫合，パック剤，止血床により物理的に止血を行う．

近年よく処方される経口抗凝固薬および抗血小板薬には，**付表4**に示すものがあり，服用薬から患者の既往歴を把握するために知っておく必要がある．ビタミンK拮抗薬（ワーファリン®）は長きにわたり唯一の経口抗凝固薬であったが，トロンビンやXa因子を選択的に阻害することで抗凝固作用を示す直接作用型経口抗凝固薬（direct oral anticoagulant：DOAC）が広く臨床応用されるようになった．これらは，食事による影響がなく，服用後速やかに効果が発現し，頭蓋内出血が少ないといった特徴がある．

付表4　代表的な抗血栓薬（抗血小板薬，抗凝固薬）

1）抗血小板薬
・チエノピリジン系薬剤：クロピドグレル（プラビックス®），チクロピジン（パナルジン®）プラスグレル（エフィエント®），チカグレロル（ブリリンタ®）
・3型PDE阻害剤：シロスタゾール（プレタール®）
・アセチルサリチル酸：アスピリン（バイアスピリン®，バファリン®），アスピリン合剤
・その他：イコサペント酸（エパデール®），ジピリダモール（ペルサンチン®），サルポグレラート（アンプラーグ®），ベラプロスト（ドルナー®），リマプロスト（プロレナール®）
2）抗凝固薬
・ビタミンK拮抗剤：ワルファリンカリウム（ワーファリン®）
・直接トロンビン阻害剤：ダビガトラン（プラザキサ®）
・第Xa因子阻害剤：リバーロキサバン（イグザレルト®），アピキサバン（エリキュース®），エドキサバン（リクシアナ®）

5．ステロイド治療

ステロイド薬は，副腎皮質で作られるホルモンのうち，グルココルチコイドという成分を人工的に作った薬であり，その免疫抑制作用からさまざまな自己免疫疾患に投与されている．同じように免疫反応による炎症を鎮めることから，アトピー性皮膚炎や気管支喘息にも使用される．

ステロイド薬にはさまざまな副作用があるが，インプラント治療に対するリスクには以下のものがある．

1）副腎不全

副腎機能が抑制されているため，手術などのストレスによりショックを起こす危険性がある．必要に応じて術前にステロイドカバーを行う．ショックに陥ってしまった場合は，早期にグルココルチコイドを静脈内投与し，ショックに対する治療（呼吸・循環管理）を行う必要がある．

2）易感染性

免疫力が低下するために，術後感染やインプラント周囲炎の重篤化のリスクとなる．

3）骨代謝への影響

ステロイド薬が骨代謝に影響を及ぼすため，オッセオインテグレーションの獲得・維持においても問題となる可能性がある．また，続発性骨粗鬆症のうち最も頻度の高いものは，ステロ

イド性骨粗鬆症である．

4）口腔乾燥

唾液分泌量が減少することにより口腔内の自浄作用が低下し，インプラントの維持・管理に影響を及ぼす可能性がある．

6．骨粗鬆症治療薬

現在，我が国には約1,300万人の骨粗鬆症患者がいるといわれており，さらに増加傾向にあると予測される．骨粗鬆症には，そのほとんどを占める老化に伴う原発性骨粗鬆症と続発性骨粗鬆症とがある．後者は副腎皮質ステロイドのような薬物の副作用，栄養などによる二次的なものである．女性の最大骨量は男性よりも低く，また閉経後の数年間は急激に骨量が減少する．そのため女性は男性より骨粗鬆症になるリスクが高く，より若い年齢から骨粗鬆症がみられる．骨粗鬆症の分類の中で，閉経後骨粗鬆症は高回転型の骨粗鬆症といわれ，骨吸収が骨形成を上回ってしまうために発症する．一方，老人性骨粗鬆症は低回転型骨粗鬆症といわれ男性に多く，骨形成能が低下し，相対的に骨吸収が進んだ状態をいう[111]．骨粗鬆症治療は骨折の予防が目的であり，その達成のためには薬物療法が中心となるが，近年，その一部の副作用としての薬剤関連顎骨壊死が問題となっており，投与されている薬剤の種類と作用機序（**付表5**），投与量，投与期間などを把握することが重要である．

付表5　骨粗鬆症治療薬一覧

1）骨吸収抑制作用
　(1) ビスフォスフォネート製剤
　・第1世代：エチドロン酸（ダイドロネル®）
　・第2世代：アレンドロン酸（フォサマック®，ボナロン®），イバンドロン酸（ボンビバ®）
　・第3世代：リセドロン酸（ベネット®，アクトネル®），ミノドロン酸（リカルボン®，ボノテオ®）
　(2) 抗RANKLモノクローナル抗体
　・デノスマブ（プラリア®）
　(3) エストロゲン関連
　・エストロゲン：エストラジオール，エストリオール，結合型エストロゲン（プレマリン®）
　・SERM製剤：ラロキシフェン（エビスタ®），バゼドキシフェン（ビビアント®）
　・フラボノイド製剤，その他
　(4) 活性型ビタミンD_3製剤
　・エルデカルシトール（エディロール®）
　(5) カルシトニン製剤
　・エルカトニン（エルシトニン®），サケカルシトニン（カルシトラン®）
2）骨形成促進作用
　・副甲状腺ホルモン製剤：テリパラチド酢酸塩，テリパラチド（フォルテオ®）
　・活性型ビタミンD_3製剤：アルファカルシドール（ワンアルファ®，アルファロール®）
　・カルシウム剤，その他

7．薬剤関連顎骨壊死（薬剤関連顎骨壊死の病態と管理：顎骨壊死検討委員会ポジションペーパー2023）

薬剤関連顎骨壊死（medication-related osteonecrosis of the jaw：MRONJ）に関しては，我が国では2010年に最初のポジションペーパーが刊行された後，2012年に改訂追補版が出版された．その後，2016年に改訂され，2017年に出版された．その後，海外ではいくつかのポジションペーパーが発表されたが，我が国では2023年に最新版が発刊されることになった[112]．

この中で，インプラント治療に関連して理解すべき内容を以下に抜粋した．

1）薬剤関連顎骨壊死の歴史

2003年Marxは高用量の経静脈ビスフォスフォネート（bisphosphonate：BP）製剤を使用している悪性腫瘍および骨粗鬆症患者で，難治性骨髄炎あるいは顎骨壊死が起こることを報告した．その後開発された，抗receptor activator of nuclear factor κB ligand（RANKL）抗体であるデノスマブ（denosumab：Dmab）製剤は，BP製剤とは骨吸収抑制の作用機序が異なるため顎骨壊死は発現しないと想定されていたが，高用量と低用量双方において顎骨壊死が報告された．これら，BP製剤によるものはbisphosphonate-related osteonecrosis of the jaw（BRONJ），Dmab製剤によるものはdenosumab -related osteonecrosis of the jaw（DRONJ），この両者を合わせてantiresorptive agent-related osteonecrosis of the jaw（ARONJ）と呼ばれていたが，新たにベバシズマブ（bevacizumab）やスニチニブ（sunitinib）を含む血管新生阻害薬などによる顎骨壊死が報告され，2014年米国口腔顎顔面外科学会（American Association of Oral and Maxillofacial Surgeons：AAOMS）のポジションペーパー（AAOMS 2014）ではmedication-related osteonecrosis of the jaw（MRONJ）と記載された．2016年の日本のポジションペーパー（PP 2016）ではARONJの名称を採用したが，現在ではMRONJが一般的となってきている．近年，骨形成促進作用と骨吸収抑制作用の両方を有する抗スクレロチン抗体のロモソズマブ（romosozumab）でも顎骨壊死が報告されており，顎骨壊死に関連する薬剤とその服薬形態は多様化してきている．

2）MRONJの診断

以下の3項目を満たした場合にMRONJと診断される．

① BP製剤やDmab製剤（両者を合わせてantiresorptive agent：ARA）による治療歴がある．または血管新生阻害薬，免疫調整薬との併用歴がある．

② 8週間以上持続して，口腔・顎・顔面領域に骨露出を認める．または口腔内，あるいは口腔外から骨を触知できる瘻孔を8週間以上認める．

③原則として，顎骨への放射線照射歴がない．また顎骨病変が原発性がんや顎骨へのがん転移でない．

3）MRONJのリスク因子

局所因子では，多くの臨床および基礎的研究において細菌感染とMRONJ発症との因果関係が報告されている．このため，口腔衛生状態の不良や歯周病，根尖病変，顎骨骨髄炎，インプラント周囲炎などの顎骨に発症する感染性疾患は，MRONJの明確なリスク因子であるといえる．

全身因子として，糖尿病や自己免疫疾患，人工透析中の患者は，疾患のコントロール状態や投与薬剤，感染に対する抵抗性の低下などにより，MRONJの発症リスクが増加する．また，重度の貧血や喫煙や飲酒，肥満といった生活習慣もMRONJの発症リスクを増大させる．

4）骨吸収抑制薬などの投与と歯科治療

（1）予防的休薬の是非

休薬を行うには，患者の全身状態が安定していることが必須条件であり，そのうえで休薬を行うことのメリットとデメリットを考慮する．しかし，抜歯においては休薬の有用性を示すエビデンスはなく「抜歯時にARAを休薬しないことを提案する（弱く推奨する）」とされたが，抜歯以外の歯科口腔外科手術に際しての予防的休薬の是非に関しては不明である．

薬剤別の考慮事項を以下に示す．

a）低用量 BP 製剤

BP 製剤の長期投与により顎骨壊死のリスクが増加することが示されているが，その発症率は低く，長期投与例でも抜歯時の休薬による利益は示されていないものの，BP 製剤投与が 3 年以上の患者では，患者の安心を高める意味で一考の余地がある．

b）低用量 Dmab 製剤

さまざまな報告から，Dmab 製剤は中止しないことが望ましいと考えられている．Dmab 製剤投与後の血中濃度の推移，および抜歯後の骨の治癒過程を考えると，最終投与 4 か月頃に抜歯を行うことが骨の治療の面で良い結果が得られる可能性があるとされている．

（2）投与中の歯科治療

a）低用量 ARA

インプラント体埋入手術については近年多数の報告がある．ARA 投与中のインプラント体埋入手術について，PP2016 では MRONJ 発症のリスク因子とされ，どちらかといえば否定的であった．しかし近年，インプラント体埋入手術はリスク因子に寄与しないとする報告や，BP 製剤投与中であってもオッセオインテグレーションは得られ，インプラント喪失のリスクは少なかったとの報告がある．これらの知見から，現時点では ARA 投与中の患者にインプラント体埋入手術を行ってはならないとする根拠はない．しかし，低用量 ARA に加え，ほかの MRONJ のリスク因子を有している場合は，決して無理な治療計画を立てるべきでなく，各々の症例についてインプラント治療以外の代替療法を検討すべきである．

b）高用量 ARA

治療のメリットと発症リスクを勘案し治療の適否を検討すべきであり，インプラント治療は，他の代替治療が存在することから ARA 投与中の患者には行うべきではない．

（3）投与中に歯科治療を行う場合の手技上の注意

侵襲的歯科治療を施行する場合は，侵襲は最小限に心がける．抜歯後の処理については，できるだけ骨鋭縁は削去し，粘膜骨膜弁で閉鎖することが望ましい．

（4）投与中の周術期管理

ARA 投与中の患者に侵襲的歯科治療を行う際は，治療前に十分に口腔清掃を行い口腔内細菌数の減少を図ることは重要である．抗菌薬の投与については，現時点では一般的な観血的歯科治療と同様の適正使用を遵守すべきである．また，観血的歯科治療前の抗菌性洗口液の使用ついては，明確なエビデンスはないものの，MRONJ の発症予防に有効である可能性がある．

8. うつ病・抑うつ状態

うつ病・うつ状態などの大うつ病性障害は，精神症状に加え身体症状および認知障害を併発することがある複雑な精神疾患である．うつ病の薬物療法では抗うつ薬を中心に用いるが，患者の症状に応じて抗不安薬，抗精神病薬，催眠・鎮静薬などの向精神薬が処方される．患者の「お薬手帳」に記載のあるこれらの薬剤（**付表 6**）から，病状を把握する必要がある．抗うつ薬の SSRI（選択的セロトニン再取り込み阻害薬）には，骨折リスクの増大や骨量の減少が懸念されている．これは，骨芽細胞や破骨細胞への直接的作用と，交感神経系の亢進を介した間接作用により骨量を減少させていると考えられている．また SSRI 服用により，睡眠時ブラキシズム症状が増悪したという症例報告もある．そのため，これら薬剤を服用している患者の術後のメインテナンスには配慮が必要であろう．

付表 6　うつ病の薬物療法に用いられる薬剤

1）抗うつ薬	
SSRI（選択的セロトニン再取り込み阻害薬）	エスシタロプラム（レクサプロ®），パロキセチン（パキシル®），フルボキサミン（デプロメール®），セルトラリン（ジェイゾロフト®）ほか
SNRI（セロトニン・ノルアドレナリン再取り込み阻害薬）	デュロキセチン（サインバルタ®），ミルナシプラン（トレドミン®）ほか
NaSSA（ノルアドレナリン作動性・特異的セロトニン作動性抗うつ薬）	ミルタザピン（リフレックス®）ほか
セロトニン再取り込み阻害・セロトニン受容体調整薬	ボルチオキセチン臭化水素酸塩（トリンテリックス®）
三環系抗うつ薬	アミトリプチリン塩酸塩（トリプタノール®），クロミプラミン（アナフラニール®），ノルトリプチリン（ノリトレン®），イミプラミン（トフラニール®）
四環系抗うつ薬	マプロチリン（ルジオミール®）ほか
2）抗不安薬	
ベンゾジアゼピン系抗不安薬	エチゾラム（デパス®），クロチアゼパム（リーゼ®），アルプラゾラム（コンスタン®，ソラナックス®），ロラゼパム（ワイパックス®），ロフラゼプ酸エチル（メイラックス®），ジアゼパム（セルシン®）ほか
3）抗精神病薬	
定型抗精神病薬	ベンズアミド系抗精神病薬；スルピリド（ドグマチール®）
非定型抗精神病薬	ドパミン D2 受容体部分作動薬；アリピプラゾール（エビリファイ®）
4）催眠・鎮静薬	
メラトニン受容体作動薬	ラメルテオン（ロゼレム®）
オレキシン受容体拮抗薬	スボレキサント（ベルソムラ®），レンボレキサント（デエビゴ®）
ベンゾジアゼピン系睡眠薬	ブロチゾラム（レンドルミン®），エスタゾラム（ユーロジン®），トリアゾラム（ハルシオン®），リルマザホン（リスミー®）ほか
非ベンゾジアゼピン系睡眠薬	ゾルピデム（マイスリー®）（うつ病適応外），エスゾピクロン（ルネスタ®），ゾピクロン（アモバン®）ほか

付2　口腔インプラント治療に必要な画像診断の基礎知識

1．インプラントの画像診断に用いる口内法の種類

①二等分法
②平行法

1）口内法の利点

①骨梁構造の検査が可能である．
②術後のインプラントの状態を確認できる．
③アバットメントの連結や歯槽骨の状態を確認できる．
＊歯槽骨頂の観察は平行法が推奨される．

2）口内法の欠点

①エックス線投影角度に像が大きく左右される．
②頰舌的な骨量や骨吸収の検査が困難である．
③骨質の検査が困難なときがある．

2．パノラマエックス線検査の利点と欠点

1）利点

①インプラント体埋入部の検査に有効である．
欠損部を含め顎骨全体の状態を把握できる．
②インプラント治療の障害となる疾患を把握できる．
残存歯の歯周病，齲蝕の状態も評価できる．
③上顎洞，顎関節疾患なども含む総覧像の検査としても有効である．

2）欠点

①口内法に比較して鮮鋭度が劣る．
②断層撮影のため断層域により頸椎や含気腔などの障害陰影が生じる．
③正確な距離の計測には適さない．
④頰舌的な骨量の検査が困難である．

3．CTの歴史と原理

1972年北米放射線学会にてHounsfieldにより発表されたcomputed tomography（CT）は脳や全身への医療応用ばかりではなく，インプラント治療へのCT利用も1980年代後半より欧米を中心に始まった．CT利用によるインプラントの術前検査の有効な最大要因は三次元的な顎骨の状態把握による術前診断にある．

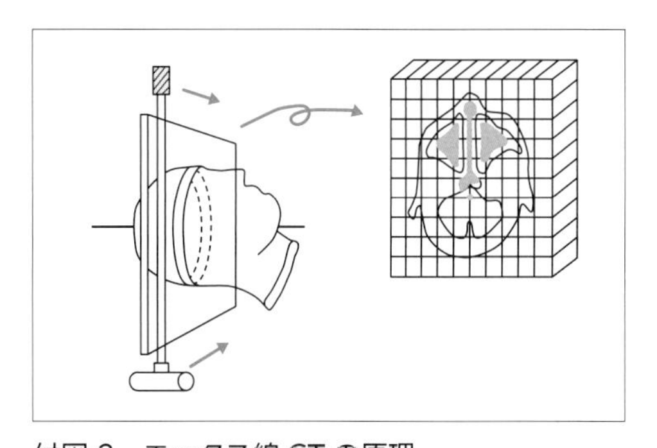

付図2　エックス線CTの原理
定義：被写体を挟んでエックス線管球と高感度の検出器を対向させ，多くの方向からエックス線を細いビーム状に照射し，人体のエックス線吸収率よりCT値を得て，これをコンピュータで処理して画像の再構成を行い，人体の断層像を得る方法である．

被写体を挟んでエックス線管球と高感度の検出器を対向させ，多くの方向からエックス線を照射し，人体のエックス線吸収係数を得てCT値に

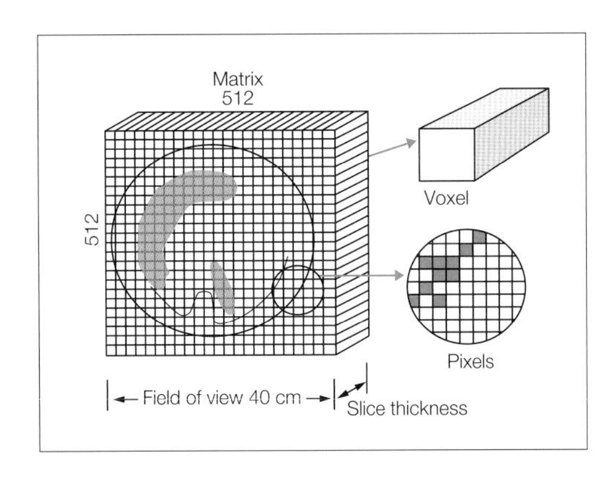

付図3　CT値とCT画像の用語解説

CT値：水のエックス線吸収係数が基準

$$\text{CT value (H.U.)} = \frac{\mu - \mu\ \text{water}}{\mu\ \text{water}} \times 1{,}000$$

μ：エックス線吸収係数

1）ピクセル（pixel）＝画素
CT画像を構成する最小単位．ピクセルサイズは画素の大きさを指す．

2）スライス厚
マルチスライスCT，CBCTでは，ボリュームデータ採取後の画像観察のために任意に決定する画像の厚さ．空間分解能が要求されるときは薄いスライス厚が使用される．

3）ピクセルサイズ×スライス厚＝ボクセル（voxel）（画像最小単位容積）

換算し，これをコンピュータで処理して画像の再構成を行い，人体の断層像を得る方法である（**付図2**）．また，CT値やCT画像の用語についても知る必要がある（**付図3**）．現代のインプラント治療で最も用いられているCTは全身用CTとしてのマルチスライスCTと歯科用CTである．以下にその2つのCTの原理も述べる．

1）マルチスライスCT（MDCT）

エックス線検出器が縦（頭尾方向）に多数並列（現在最大360列）して人体を撮像する装置である．最大の特徴はボリュームデータ（容積画像）を短時間に撮像できるため，特に時間分解能に優れたCT装置である．インプラント術前CT検査においても，嚥下は通常1分間に3回程度あるとされ，動きによるモーションアーチファクトを防ぐ意味でも，数秒で顎骨検査が終了する高速CT検査は重要である（**付表7**）．

付表7　MDCTとCBCTの長所および短所

	MDCT	CBCT
長所	①時間分解能に優れる． ②濃度分解能（コントラスト分解能）に優れる． ③正確なCT値が出る．	①空間分解能が高い． ②金属アーチファクトが比較的少ない． ③被曝量が少ない（小照射野などの撮像条件付にて）． ④装置が小さい．
短所	①被曝量が比較的大きい（撮像条件により異なる）． ②空間分解能はCBCTより劣る． ③装置が大きい．	①時間分解能に劣る（撮像時間が長い）． ②濃度分解能（コントラスト分解能）に劣る． ③正確なCT値が出ない（画素値である）． ④撮像条件により全身用CTと被曝量が変わらないことがある．

（1）撮像上の注意

CTの大きな欠点は金属アーチファクトによる障害陰影である．臨床においては極力金属アーチファクトを避け，高分解能の良好なCT画像を得る必要がある．

金属アーチファクトを避け，高分解能の画像を得るためには，CT撮像時に咬合平面に沿って撮像し，金属の範囲をできるだけ小さくし，できるだけ薄いスライスで撮像することが高分解能のCT画像を得るために重要である．CTの分解能は，①空間分解能（空間的に位置の違いを見分ける力），②コントラスト分解能（濃度の差を見分ける力），③時間分解能（いかに短時間に撮像できるか）がある．具体的に，高分解能画像を得るためには，撮像範囲 field of view（FOV）をできるだけ小さくし，照射領域の単位面積のマトリクスを増やすこと（たとえば256 × 256 → 512 × 512に変更など，**付図3**），三次元ボリュームデータを活用し，分解能を向上させるなどが推奨される．

2）歯科用コーンビーム CT（CBCT）

被写体を挟んでエックス線管球と検出器を対向させ，円錐状（コーンビーム）にエックス線を照射し，高感度の二次元検出器（フラットパネルなど）を利用して被写体の断層像を得る方法である（**付表 7**）.

4. コンピュータ・シミュレーション（コンピュータ支援ナビゲーション）の基礎と臨床応用

1）コンピュータ・シミュレーションの基礎

インプラント CT の 3D データを取り扱うコンピュータ・シミュレーションはもとになる CT の二次元画像が必要である，これを「元画像」と呼ぶ．この元画像は多数の正方形のピクセル pixel で構成され，1 枚の画像は通常 512 × 512 個のピクセルで構成されている．元画像の範囲は一辺の長さを撮影領域 field of view（FOV）の大きさとして表し，FOV の大きさを 512 個で割ったものが 1 ピクセルのサイズとなる．よって FOV の大きさを小さくすると元画像の空間分解能は向上する.

2）CT のボリュームデータについて（付図 4）

スライスデータが多数集まり重なると，直方体なデータとなり，「ボリュームデータ volume data」と呼ばれる．このボリュームデータを操作して三次元像を作成し，シミュレーションや観察断面を作成する．薄いスライスを用いると構成されるボクセルが立方体となり，これを「等方ボクセル isotropic voxel」と呼び，これらの集まったボリュームデータを「isotropic volume data」と呼び，より正確な三次元像作成に利用される.

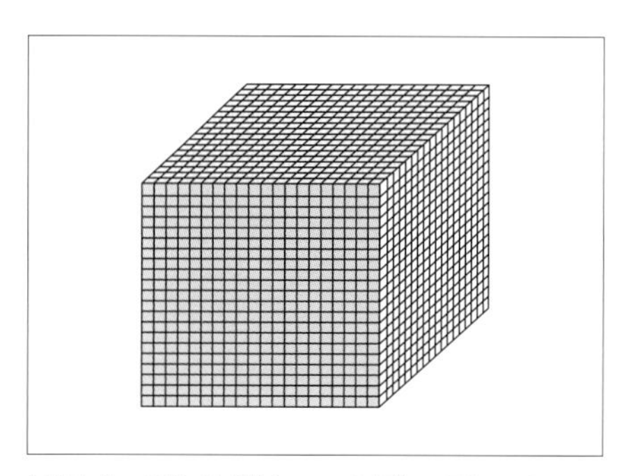

付図 4　CT のボリュームデータについて
スライスデータが多数集まると直方体のデータとなり「ボリュームデータ（volume data）」と呼ばれる．このボリュームデータを操作して三次元像を作成し，シミュレーションや観察断面を抽出する．CT のボリュームデータを構成する多数の直方体を「ボクセル（voxel）」と呼ぶ.

インプラント CT で用いられる三次元画像表示は，①ボリュームデータを立体構築して表示する方法と，②ボリュームデータを面で切り出して観察する 2 つの方法を主に用いている（**付図 5**）.

(1) VR（ボリュームレンダリング　volume rendering）

インプラント CT の三次元像は通常この手法を用いている．三次元の構造を二次元の平面に表現する技法をレンダリングといい，広義の VR はボクセル値（ボクセルの CT 値）をもっ

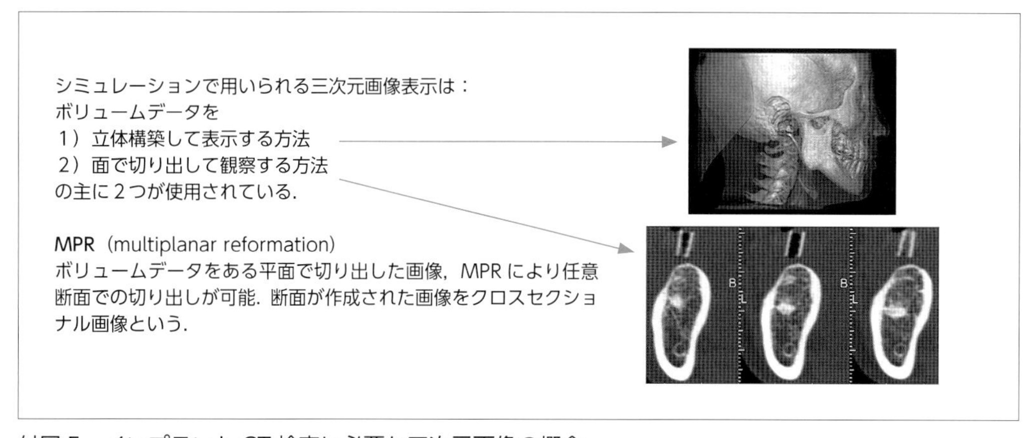

付図 5　インプラント CT 検査に必要な三次元画像の概念

たボリュームデータをそのまま画像表示することをいう．シミュレーションのVRは狭義のVRであり「各ボクセルにCT値に応じた色調や濃淡と不透明度を与えて表示する」方法を用いている．

(2) シミュレーション時におけるVRの「閾値 threshold」について

a) 閾値

VRの3D画像はボクセル値に対してそれに応じた色調の変化や濃淡が与えられ，それらがどれだけの不透明度をもって表示されるかによって画像が決まる．

不透明度0%（つまり透明）のボクセルとそれ以外のボクセルとの境界のCT値を閾値と呼ぶ．シミュレーションの際はマウスで微妙な閾値を操作し，骨の外形表示から骨を消した下顎管のみの表示まで行うことが可能となる．

b) MPR（multiplanar reformation）

インプラントの画像診断で最も用いるCT像であり，ボリュームデータをある平面で切り出したものである．MPRはCTボリュームデータから任意断面の切り出しが可能であり，顎骨の彎曲に沿って縦断像を連続で作成する画像を，いわゆるクロスセクショナル画像という．

3) ウィンドウレベル，ウィンドウ幅について（付図6）

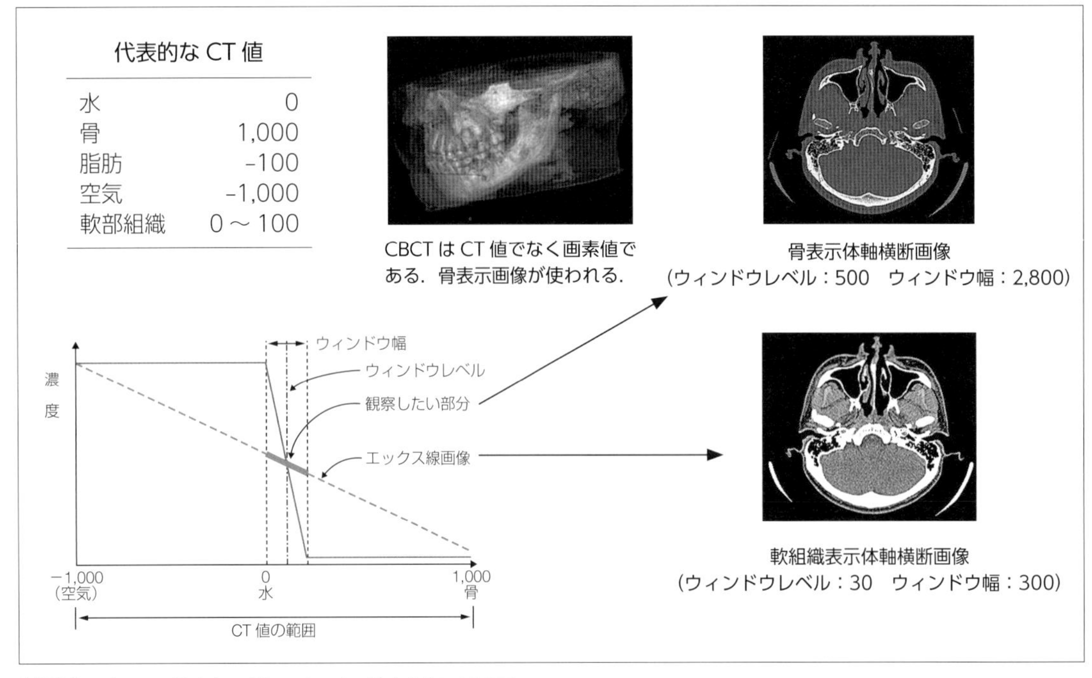

付図6　ウィンドウレベル，ウィンドウ幅について

付 3　口腔インプラント治療と MRI 検査

1. MRI（magnetic resonance imaging）検査の原理と適応

MRI 検査は，体内の水素原子核の磁気共鳴現象を利用して，水素原子核の密度や存在状態の違いを画像化する検査法である．強磁場とラジオ波（ラジオと同程度の周波数の電磁波）を使用して磁気共鳴現象を起こすため，電離放射線（エックス線など電離能力をもつ放射線）の被曝がないことが特徴である．MR 画像は軟組織のコントラスト分解能が高いため，さまざまな軟組織病変の描出，精査に有用である．一方，硬組織間のコントラスト分解能は不良で，歯の異常や石灰化の検出などには適さない．

2. インプラントに関する MRI 検査時の注意事項

1）インプラントに対する磁場による吸引・回転のリスクとラジオ波による発熱のリスク

MRI 検査室には常時強磁場が発生するため，検査室に入る際は常に厳重な注意が必要である．体内に強磁性体の金属（鉄，コバルト，ニッケル）があると，磁場による吸引力・回転力が働く．また，強磁性体か否かにかかわらず，体内金属にはラジオ波による発熱リスクがある．インプラントに関しては，問題なく MRI 検査できることがほとんどだが，発熱や痛みが出る可能性があることを説明し，少しでも異常を訴えた際は検査を中止することが重要である[113, 114]．特に，磁性アタッチメントが使用されている場合は注意が必要である[113-115]．

(1) 磁性アタッチメント

インプラントオーバーデンチャーに磁性アタッチメントが使用されている場合，磁石の付いた義歯を外さずに検査を行うと磁石の吸着力が低下したり，義歯が飛び出す危険がある．検査室に入る前に，磁石の付いた義歯は外しておかなければならない．さらに，以下に注意して実施する．

①キーパーは強磁性体であるため，緩みがあると磁場により脱離するおそれがある．キーパーやキーパーが取り付けられたインプラントに緩みがないか，主治の歯科医師は事前に確認しておく[113-115]．

②キーパーのラジオ波による発熱について，日本磁気歯科学会安全基準検討委員会は，3T の MRI 装置におけるファントム実験の結果より，撮像時間が 15 分以内ならば生体への影響はないとしている[115]．しかし，ファントム実験とは異なる条件で MRI 検査が施行される場合があるため（15 分を越える MRI 検査はめずらしくない），検査中は常に注意する[113, 114]．

③キーパーの代わりに市販の鋳造用磁性合金が使用されている場合，キーパーより磁性合金の量が多いため，偏向力や発熱の影響が大きい．鋳造用磁性合金でなくキーパーの使用が推奨される[115]．

(2) 純チタン，チタン合金，ジルコニア

インプラント体に頻用される純チタンやチタン合金，ジルコニアは，いずれも常磁性体で，MRI 検査に問題はないとされている[113]．しかし，インプラントを装着した患者が，最近の小型マグネットを使用している MRI 装置に入る際，強い痛みを訴えた事例が 2 例報告されてい

る．小型マグネットにおける静磁場の強い勾配形成が原因と考えられているため[114]，小型マグネットを使用したMRI検査では十分な注意が必要である．

2）インプラントによる金属アーチファクト

金属アーチファクトは，生体組織（反磁性体）と体内金属との磁化率の違いによる磁場の歪みが主な原因である．チタンは磁化率が小さい常磁性体であるため金属アーチファクトは少ないが，磁化率の影響を受けやすい拡散強調撮像法などでは強いアーチファクトを生じる[116]．ジルコニアも常磁性体だが，チタンより磁化率が小さく，アーチファクトがより少ない[117]．一方，キーパーなど強磁性体が使用されていると，金属アーチファクトが広範囲に及ぶ（**付図7**）．そのため，診断の妨げとなる場合は，強磁性体部分の撤去が必要となる．

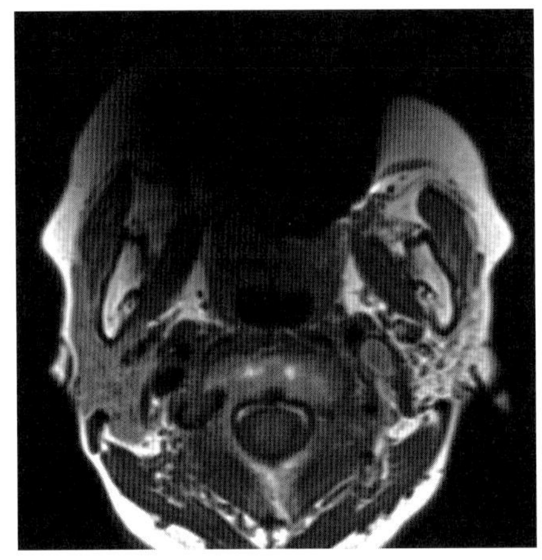

付図７　強磁性体のキーパーによる金属アーチファクト
無信号領域が広範囲に生じている．

付 4　技工物のトレーサビリティと国外委託の留意点

国内で製作される補綴装置（上部構造）については，歯科医師が歯科技工指示書によって，製作の方法，使用材料，製作する歯科技工所などを具体的に指定するため，トレーサビリティは確保されている．しかし，国外に補綴装置などの一部または全部の製作を委託する場合において，製作過程や使用材料の組成などについて，必ずしも十分に把握することができない事例が過去に散見された．このため，厚生労働省は「歯科医療における補てつ物等のトレーサビリティに関する指針」（平成 23 年 6 月 28 日付け医政発 0628 第 4 号医政局長通知，以下「指針」という）を策定し，国外で製作される補綴装置などの品質や委託過程の透明性の確保を図っている．この指針に基づく，国外で製作される補綴装置などのトレーサビリティに関する留意点は，次のとおりである．

1．使用材料などについて

歯科医師は，使用する歯科材料を具体的に明示して補綴装置などの製作に関する指示を行うとともに，指示内容の要点を診療録などに記録しなければならない．また，この指示にあたっては，ISO 規格などの国内で求められる基準を満たした国外の歯科材料の製品名（製造販売業者名を含む）などを明示して指示を行う．なお，「歯科医療の用に供する補てつ物等の安全性の確保について」（平成 23 年 9 月 26 日付け医政発 0926 第 1 号医政局長通知）により，補綴装置などの製作については再委託が認められていない．

2．製作過程の透明化について

歯科医師は，指示した歯科材料で作成されたことを確認するだけでなく，国外での製作過程などが適正であることを担保するため，産業廃棄物の処理の際に用いられるマニフェストと同様に，指針に記載されている「補てつ物管理票」を基に，**付表 8** の事項を記載して，必要な情報を一元的に把握・管理することが推奨されている．これにより，製作過程が可視化できる．

付表 8　補綴装置などの管理票に記載すべき事項

1．委託する際に歯科医師が記載する情報
発行の年月日 歯科医療機関にかかる情報（住所，名称など） 歯科医師名 補綴装置などの名称 歯科材料（製品，製造販売業者，使用材料の名称など） 設計および作成の方法 委託先にかかる情報（住所，名称など）
2．委託先などが記載する情報
歯科技工作業を実施した施設にかかる情報（住所，名称，作業責任者名など） 歯科技工作業にかかる情報（受取日，作業日および作業内容，最終確認日，発送日など） 補綴装置などに含まれる歯科材料にかかる情報（組成，認証番号，ロット番号／製造番号など）
3．補綴装置などの引渡しの際に歯科医師が記載する情報
引渡しを受けた日 引渡しを受けた歯科医師名

3．患者への情報提供と同意の取得について

歯科医師は，患者からの求めに応じて適切に情報提供が行えるよう，国外で製作された補綴装置などに関する情報を管理し，補綴装置などの製作の委託に関する情報を院内の受付などに掲示することが推奨されている．また，「国外で作成された補てつ物等の取り扱いについて」（平成17年9月8日付け医政歯発第0908001号医政局歯科保健課長通知）を遵守し，補綴装置などの国外での製作の委託についての十分な情報提供に基づき，国外で補綴装置を製作する場合には，事前に患者の理解と同意を得ることが求められている．

付 5　医療安全のための情報収集

インプラント治療において使用する医薬品・医療機器，特にインプラント体に代表される医療機器の新製品は後を絶たないことから，広範にわたる最新の安全性情報の入手が必要になってきている．なぜなら，治療に使用するインプラント体や周辺材料（医療機器）の不具合や，使用する医薬品の副作用の発生状況を事前に調べておくことは医療従事者の責務であるからである．本項では，インプラント治療の際に用いる医薬品・医療機器の安全性情報の情報源と，インプラント治療にかかわるガイドラインおよび指針などの入手先を記載する．

1．医療機器（インプラント体，アバットメント，アバットメントスクリューなども含む）と医薬品に関する安全性情報

1）医薬品医療機器総合機構（PMDA）

最も早く情報が入手でき，データ量も豊富にある．

(1) 医薬品・医療機器関連情報

医薬品や医療機器の安全性情報，添付文書情報が入手可能である．

PMDA　安全性情報・回収情報等 | 検索

(https://www.pmda.go.jp/safety/info-services/drugs/calling-attention/safety-info/0043.html)

(2) PMDA メディナビ

PMDA メディナビ（医薬品医療機器情報配信サービス）は，個人のメールアドレスを登録することによって上記の医薬品・医療機器の安全性情報をいち早く入手可能である．特に重篤な問題が発生した場合は，安全性速報（ブルーレター）が発出される．

PMDA　メディナビ | 検索

(https://www.pmda.go.jp/safety/info-services/medi-navi/0007.html)

2）厚生労働省

(1) 医薬品・医療機器等安全性情報

医薬品の副作用や新たにわかった注意事項，製造禁止と医療機器に関する安全性情報を公表している（毎月更新）．

厚労省　医薬品・医療機器等安全性情報 | 検索

(https://www.mhlw.go.jp/stf/seisakunitsuite/bunya/0000083859.html)

3）日本医療機能評価機構

(1) 医療安全情報

中立的第三者機関として，収集した医療事故などの情報やその集計・分析の結果を報告書として取りまとめ，医療従事者，国民，行政機関など広く社会に対して情報提供を行っている（毎月更新）．

医療機能評価機構　医療安全 | 検索

(https://www.med-safe.jp/contents/info/index.html)

4）インプラントメーカーおよび販売会社のホームページ

製品情報および添付文書情報を入手可能な場合が多い．

2. インプラント治療の安全性を担保するためのガイドラインなどの情報

1）日本口腔インプラント学会

(1) 口腔インプラント治療指針

(2) インプラント治療のためのチェックリストについて

| インプラント学会　チェックリスト | 検索 |

(https://www.shika-implant.org/kaikoku/dl/202004checklist.pdf)

2）日本歯科医学会

(1) 歯科インプラント治療指針（日本歯科医学会編，2013）

(2) 歯科インプラント治療のためのQ＆A（日本歯科医学会 厚生労働省委託事業「歯科保健医療情報収集等事業」歯科インプラント治療の問題点と課題等 作業班編，2014）

(3) インプラント国民向け情報提供（日本歯科医学会 厚生労働省委託事業「歯科保健医療情報収集等事業」歯科インプラント治療の問題点と課題等 作業班編，2014）

上記3点は，

| 厚労省歯科保健医療情報収集等事業 | 検索 |

(https://www.mhlw.go.jp/stf/seisakunitsuite/bunya/kenkou_iryou/iryou/shika_hoken_jouhou/)

(4) 歯科診療ガイドラインライブラリー「インプラントの画像診断ガイドライン 第2版」（日本歯科放射線学会編，2009）

インプラント治療における各種画像診断法と診断時期について解説．

| インプラント画像診断ガイドライン | 検索 |

(https://www5.dent.niigata-u.ac.jp/~radiology/guideline/implant_guideline_2nd_080901.pdf)

3）日本歯周病学会

(1) 歯周病患者における口腔インプラント治療指針およびエビデンス2018（日本歯周病学会編，医歯薬出版，2019）

(https://www.perio.jp/publication/upload_file/guideline_perio_implant_2018.pdf)

3. 歯科医療全般に関係する安全性に係るマニュアルおよび指針

(1) 院内感染対策実践マニュアル改訂版（日本歯科医学会監修，永末書店，2015）

(2) 一般歯科診療時の院内感染対策に係る指針第2版（日本歯科医学会 厚生労働省委託事業「歯科保健医療情報収集等事業」歯科診療における院内感染対策に関する検証事業実行委員会，2019）

(3) 歯科治療時の局所的・全身的偶発症に関する標準的な予防策と緊急対応のための指針（日本歯科医学会 厚生労働省委託事業「歯科保健医療情報収集等事業」歯科治療時の局所的・全身的偶発症に関する標準的な予防策と緊急対応の立案 作業班編，2014）

上記（2），（3）は，

| 厚労省歯科保健医療情報収集等事業 | 検索 |

(https://www.mhlw.go.jp/stf/seisakunitsuite/bunya/kenkou_iryou/iryou/shika_hoken_jouhou/)

4. インプラント受診者からの相談情報

国民生活センター（歯科インプラント治療に関する相談情報の提供）「あなたの歯科インプラントは大丈夫ですか—なくならない歯科インプラントにかかわる相談—」（2019年6月21日更新）

国民生活センター 歯科インプラント｜検索

（https://www.kokusen.go.jp/news/data/n-20190314_1.html）

5. インプラント治療に係る不具合の報告

医薬品，医療機器または再生医療等製品の使用による副作用，感染症または不具合の発生について，保健衛生上の危害の発生または拡大を防止する観点から報告の必要があると判断した情報は「医薬品，医療機器等の品質，有効性及び安全性の確保等に関する法律」第68条の10第2項に基づいて，医療関係者等が直接厚生労働大臣に報告することが求められている．

PMDA　医薬品医療機器法　副作用　感染症　不具合報告　医療関係者向け｜検索

（https://www.pmda.go.jp/safety/reports/hcp/pmd-act/0003.html）

付6 文例集

1. インプラントカード

超高齢社会に突入し，要介護高齢者の増加に伴い，訪問歯科診療でのインプラント管理の必要性も高くなってきている．また，インプラントの種類の増加とあいまって，どのようなインプラントが患者に使われているのかを知ることは，インプラント治療の継続や管理に重要となってきている．

日本口腔インプラント学会では，これに対応するために，治療終了時に治療内容を記載するための「インプラントカード」を作成し，学会ホームページに掲載している（**付図 8，9**）．

インプラントカードの特徴は，以下のとおりである．

- 将来のデータベース化を視野に入れている
- コンパクトサイズ（名刺二つ折り）
- 歯科医院の QR コード入り（オプション）
- パノラマエックス線画像入り（オプション）
- 歯式図入り（手書き）
- PC で入力し，データを保管できる．追記できる（再発行）
- 安価なインクジェットプリンタ使用可能
- 入手容易な汎用カード用紙使用
- 日本顎顔面インプラント学会の国際インプラント手帳とのある程度のデータ互換性

※この手帳は，埋入後に記入し，その後の不具合の際に使用することが主眼

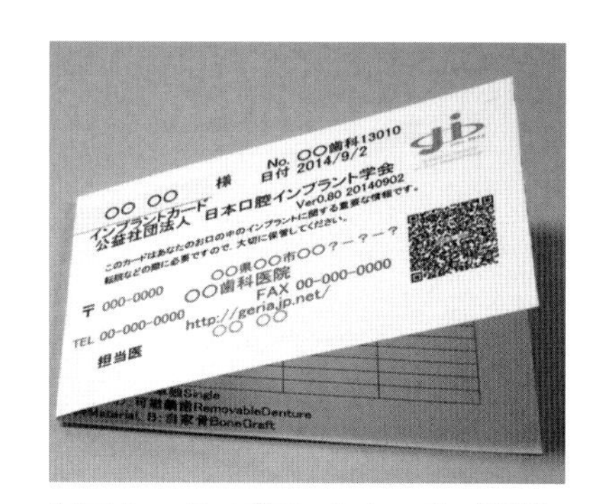

付図 8 インプラントカード（表紙）

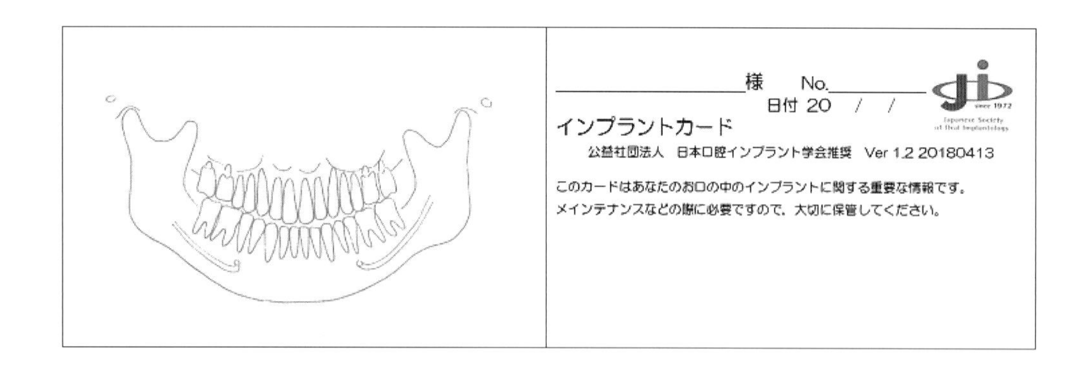

＿＿＿＿＿＿＿＿様 No.＿＿＿＿＿
日付 20 / /
インプラントカード
公益社団法人 日本口腔インプラント学会推奨 Ver 1.2 20180413
このカードはあなたのお口の中のインプラントに関する重要な情報です。
メインテナンスなどの際に必要ですので，大切に保管してください。

No	部位	埋入日	装着日	直径／長さ	メーカー名
例	36	2013/9/18	2013/11/19	3.75/10	NOBEL BIOCAR
1					
2					
3					
4					
5					
6					

インプラント	ドライバー	ロット番号	その他
Mk IV	Unigrip	K10428011	Sc

Sc：スクリュー固定screw，FC：セメント固定FinalCement，TC：仮着TemporaryCement，RD：可撤義歯RemovableDenture

付図 9 インプラントカード（内面）

・エクセル上でデータを入力する．詳細な使用マニュアルおよび入力用ファイルはホームページからダウンロード可能

2. チェックリスト（付図 10）

1）チェックリスト作成のねらい

インプラント治療において，術者と患者が共通の認識をもって治療前後の状況を記録し，治療目標の達成状況ならびにそれらを制限する要素を理解すべきであると考える．本チェックリストを日常的に応用することにより，インプラント治療に効果的かつ満足できる結果をもたらすと同時に，医療の安全・安心に寄与できることを期待している．

本チェックリストでは，以下をその主な項目としている．

・適応症であるか否かの客観的な判断
・特に注意しなければならない事項（全身的な既往歴）の把握
・インプラント治療を開始する前に行うべき治療内容の再確認
・インプラント治療後の経過観察時に行うべき事項の再確認

2）チェックリストの利用法ならびに注意事項

・本チェックリストは必要最小限度の基本的項目のみをまとめたものであり，インプラント治療を実施する場合には，より詳細な検討が必要となる．
・チェックリストはあくまで個々の症例の適応性や難易度を主観的に評価するものであり，治療の施行および責任はあくまで主治医が負うべきものである．
・本チェックリストを作成するに当たっては多くの文献，知見を参考とした．それぞれの項目および基準値などに関する詳細は成書などを参考にしていただきたい．
・全身的な既往歴ならびに現在の状態に関しては，最新の検査データを入手して判断するとともに，医科への対診を積極的に行っていただきたい．
・チェックリストのファイルは学会ホームページからダウンロード可能

付図 10　チェックリスト

インプラント治療のためのチェックリスト（2018年版）　2017. 10. 25

公益社団法人　日本口腔インプラント学会 医療・社会保険委員会編

患者番号＿＿＿＿　患者氏名＿＿＿＿＿＿　年齢＿＿　性別　男・女

インプラントカード発行＿＿年＿＿月

1. 患者とのコミュニケーション

↓問題ありの場合に✓

大項目	小項目	初診時	埋入前	補綴前	装着後	リコール	リコール	リコール	特記事項
	日付								
個性・性格	期待度（予想治療効果と患者期待度とのギャップ）								
	治療内容理解度（期間，回数，費用，成績など）								
	協力度（禁煙，服薬，口腔清掃など）								
	家族の理解度（未成年者，高齢者，認知症など）								
環境	経済環境（メインテナンスや追加処置も考慮）								
	転居予定・可能性（治療中断や転医の可能性）								
	通院（方法，障害，距離，時間の制約など）								
過去の治療の問題	インプラント関連								
	歯科治療								

2. 全身状態

↓問題ありの場合に✓

大項目	小項目	初診時	埋入前	補綴前	装着後	リコール	リコール	リコール	特記事項
健診	過去1年以内の健康診断未受診								
	過去1年以内の健康診断結果								
	過去3ヵ月以内の血液検査等								
基礎疾患習慣など	高血圧症								
	虚血性心疾患（心筋梗塞，狭心症）								
	呼吸器疾患(気管支喘息，COPDなど)								
	肝機能障害								
	腎機能障害								
	消化器障害（胃・十二指腸潰瘍など）								
	血液疾患（貧血・血小板異常など）								
	認知症								
	その他の神経疾患（脳卒中，パーキンソン等）								
	糖尿病								
	免疫疾患（金属アレルギーなど）								
	骨粗鬆症								
	ドライマウス								
	その他疾患								
	喫煙								
与薬など	骨粗鬆症治療薬								
	ステロイド薬								
	抗血栓療法								
	その他								

※ 患者の状況により，必要な項目は異なり，必ずしも全項目を正確にチェックする必要があるわけではない。
個々の項目の判定基準等は，成書や別紙マニュアル・指針を参照のこと
※「問題あり」の場合は，治療指針などを参照して対応する
※ 必要に応じて，前処置後・埋入後に使用することも可能

3. 口腔内状態

↓問題ありの場合に✓

大項目	小項目	初診時	埋入前	補綴前	装着後	リコール	リコール	リコール	特記事項
	日付								
欠損部状態	上下顎対合関係・咬合支持（アイヒナー分類など）								
	開口距離								
	補綴用間隙								
	非可動粘膜								
	骨量（骨高・骨幅など）								
	骨質（皮質骨の厚さ，海綿骨の密度など）								
	粘膜・顎骨病変								
	埋入部隣在歯								
口腔清掃	モチベーション								
	ブラッシング状態								
全顎的状態	歯周ポケット								
	骨形態異常（垂直的骨欠損等）								
	根分岐部病変								
欠損隣接部	角化歯肉幅								
	歯肉の厚み								
	前庭の深さ								
歯列	歯列不正								
	不正咬合・外傷性咬合								
その他									
補綴装置	義歯・Cr&Br								
咬合	ガイド（側方・前方）								
	顎位（咬合支持・安定）								
	顎関節症								
	パラファンクション（クレンチング・グラインディングなど）								
咀嚼	障害(診断結果)								
	患者満足度・過度の要望								
審美性	歯肉形態・性状								
	リップライン								
	障害(診断結果)								
	患者満足度・過度の要望								
発音	障害(診断結果)								
	患者満足度・過度の要望								
インプラント	近遠心・頬舌的位置，方向								
	隣在インプラント（歯）との関係								
	垂直補綴空隙								
	インプラント周囲炎（骨吸収・動揺）								
	インプラント周囲粘膜炎								
上部構造	咬合・隣接面接触								
	補綴装置の不具合								
その他									

和文索引

口腔インプラント治療指針 2024　　ISBN978-4-263-45684-2

2012年 6月10日　第1版第1刷発行
2016年 4月25日　第2版第1刷発行
2020年 6月10日　第3版第1刷発行
2024年 6月15日　第4版第1刷発行

編　集　公益社団法人 日本口腔インプラント学会

発行者　白石泰夫

発行所　医歯薬出版株式会社

〒113-8612　東京都文京区本駒込 1-7-10
TEL.（03）5395-7638（編集）・7630（販売）
FAX.（03）5395-7639（編集）・7633（販売）
https://www.ishiyaku.co.jp/
郵便振替番号 00190-5-13816

乱丁，落丁の際はお取り替えいたします　　印刷・木元省美堂／製本・明光社